Ramón de Jesús Rodríguez

Et si j'apprenais
le pastel

ÉDITIONS
PLACE DES VICTOIRES

© Arco Editorial, 2000
© Éditions Mengès et Place des Victoires, 2000
pour l'édition en langue française
6, rue du Mail - 75002 Paris

Achevé d'imprimer en avril 2000
sur les presses de Eurografica, Vicence, Italie

ISBN 2-84459-011-X
Dépôt légal : 2ᵉ trimestre 2000

SOMMAIRE

Matériel

UNE BRÈVE HISTOIRE DU PASTEL

Le pastel est une technique picturale qui remonte au XVIIIe siècle même si des procédés similaires furent utilisés bien plus tôt par de nombreux peintres. Une fois adoptée par les peintres, cette technique alla jusqu'à concurrencer l'huile chez de nombreux artistes. Elle fut couramment utilisée par de grands maîtres comme Rosalba Carriera, Degas, Manet, Odilon Redon ou Picasso.

Le pastel est une technique picturale qui peut être traitée comme toutes les techniques habituelles. Ainsi, les premiers travaux qui seront développés dans ce livre sont très proches de ceux du dessin traditionnel mais ils couvriront aussi les possibilités propres au pastel. Pour commencer, un ou deux pastels et un carnet à dessin que vous pourrez vous procurer dans n'importe quel magasin spécialisé peuvent suffire.

Le pastel peut être considéré soit comme une simple technique de dessin, soit comme une technique picturale à part entière. Tout dépend de l'intention de l'artiste au départ. Dans ces premières pages, nous allons présenter une vaste gamme de produits, les uns absolument indispensables à cette technique, les autres accessoires mais permettant d'aller plus loin dans le travail. Le pastelliste n'aura pas besoin d'acquérir tout le matériel décrit ici, cependant il faudra qu'il le connaisse afin de pouvoir déterminer quel type d'outils ou de présentations sera le plus approprié à ses besoins.

▲

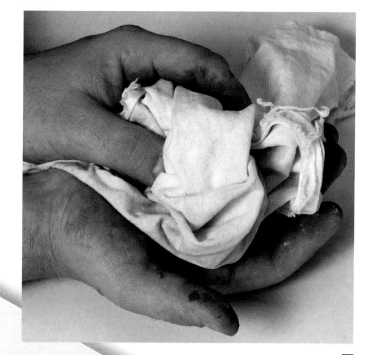

Très vite, le pastelliste amateur comprendra que le pastel est très fragile. On peut brouiller le trait avec ses doigts et les couleurs peuvent se salir facilement. C'est pourquoi il faut avoir un chiffon à portée de main dès le début des travaux. ▼

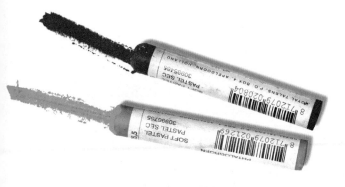

LE PASTEL

Le pastel est composé de pigments, de craie et d'un liant qui peut être de la gomme adragante. Avec ces trois produits, on forme un amalgame que l'on modèle, puis que l'on met à sécher. Les pastels sont l'un des moyens d'expression picturale les plus simples à fabriquer, cependant il en existe de qualités très différentes sur le marché.

▶ *Un pastel de bonne qualité s'applique et s'efface facilement. Il offre également une couleur lumineuse et brillante. Il est donc important de bien savoir choisir ses pastels quand on débute dans cette technique.*

▶ *Les pastels à l'huile sont plus denses et plus gras que les autres et permettent toutes sortes d'applications bien que leur estompage ne produise pas un résultat aussi uniforme. L'huile remplace la gomme dans leur fabrication, c'est pourquoi ils peuvent être mélangés à la peinture à l'huile ou dilués avec de l'essence de térébenthine pour produire divers effets.*

RETACOLOR		
ermanent white	101 Blanc permanent	101 Bianco
Cadmium citron	107 Cadmium citron	107 Giallo cadmio limone
Orange	111 Orange	111 Arancione
Vermillion dark	114 Vermillon foncé	114 Cinabro scuro
Carmine extra fine	116 Carmin extra-fin	116 Carminio
Bluish purple	139 Violet bleuâtre	139 Lacca viola bluastra
Light blue	158 Bleu clair	158 Azzurro
Prussian blue	161 Bleu de Prusse	161 Blu di Prussia
Leaf green	178 Vert feuille	178 Verde foglia
Pea green	187 Vert printemps	187 Verde brillante
Van dycke brown	220 Brun Van-Dyk	220 Marrone Van-Dyck
Ivory black	250 Noir d'Ivoire	250 Nero avorio

(Spanish column: 101 Blanco permanente, 107 Amarillo cadmio limón, 111 Naranja, 114 Bermellón oscuro, 116 Carmín extrafino, 139 Púrpura azulado, 158 Azul claro, 161 Azul Prusia, 178 Verde hoja, 187 Verde primavera, 220 Marrón Van-Dyck, 250 Negro marfil)

▼ *Les pastels à section carrée sont des pastels durs qui ne proposent qu'une gamme de coloris réduite. Ils permettent un tracé plus précis mais ne sont pas aussi maniables que les pastels tendres. En effet, l'estompage est plus limité qu'avec le pastel tendre. En revanche, le pastel dur est idéal pour l'esquisse et la réalisation des détails.*

Ici, on montre comment mélanger le pastel à la peinture à l'huile, avec de l'huile de lin ou une autre huile. ◀

LES GAMMES DE COULEURS

Les pastels contiennent un composant neutre qui donne leur dureté aux bâtonnets. Ce composant est la craie, du blanc d'Espagne voire du gypse. Ces éléments d'origine étant complètement blancs, ils n'ont pas la qualité des pigments, c'est-à-dire qu'ils ne colorent pas mais, nous le verrons plus loin, ils peuvent en altérer la luminosité si l'on essaie de mélanger les couleurs. Pour contourner le problème, on fabrique donc les pastels dans des gammes de couleurs aussi étendues qu'il existe de tons et de nuances pour chaque couleur.

La pureté de la teinte est altérée quand on mélange les pastels, car la craie qui durcit le bâtonnet ressort et leur retire éclat et luminosité. L'illustration ci-contre démontre cet effet.

Les gammes de pastels sont assez riches pour que l'artiste puisse se procurer une palette de couleurs qui lui convienne parfaitement. Pour commencer, un petite boîte de pastels comme celle-ci est suffisante.

Pour se lancer dans la réalisation de thèmes plus précis, comme le portrait, on peut acquérir un bel assortiment de 45 couleurs.

7

LES DIVERSES PRÉSENTATIONS

Il existe de nombreuses présentations de cet outil pictural. Certains artistes se constituent leur propre gamme de couleurs, car les magasins spécialisés proposent des gammes de pastels très étendues. D'autres, en revanche, se contentent des palettes standards.

On ne trouve pas tous les types de pastels dans une gamme de couleurs très étendue. En effet, certains pastels demi-longueur sont vendus dans des palettes de teintes très limitées. Outre les pastels en bâton, il existe également les crayons pastel qui présentent exactement les mêmes caractéristiques, sauf qu'ils peuvent être manipulés comme des crayons.

▼ **Les pastels demi-longueur.** *Cette présentation n'est pas la plus courante. Ces pastels ont un diamètre plus large que les autres et sont en général fabriqués avec des matériaux de bonne qualité dans des gammes de couleurs très limitées et leur prix est proportionnel à leur taille. Ils sont utilisés par des professionnels qui apprécient leur taille et leur maniabilité.*

Les couleurs spéciales.
Actuellement, on fabrique des pastels de toutes les couleurs. Ils en existe même des fluorescents, des dorés ou des argentés. À la différence des autres matériels picturaux, les pastels offrent des couleurs éclatantes.

▶ **Les crayons pastel.** *Ils sont vendus dans des coffrets ou à l'unité avec autant de nuances dans les couleurs que les autres pastels. Si les pastels en bâtonnet sont fragiles, les crayons le sont plus encore et le moindre choc peut casser leur mine. Il est donc très important d'utiliser des crayons de bonne qualité aussi bien pour la mine que pour la gaine de bois. Un bois de mauvaise qualité peut aussi conduire à casser la mine lorsque vous taillerez votre crayon.*

LA PROPRETÉ

Quand l'apprenti pastelliste commence à dessiner, la première chose qu'il remarque est la facilité avec laquelle les pastels se cassent. Les bâtonnets neufs soigneusement rangés dans leur boîte se transforment rapidement en un ensemble de petits morceaux de pastels qui se salissent au contact les uns des autres. Dans cette technique, la propreté est fondamentale aussi bien pour les pastels eux-mêmes que pour les mains qui les manipulent.

Les couleurs des pastels sont d'une grande pureté, mais si les bâtonnets se touchent, ils se salissent très facilement. Pour éviter l'altération des couleurs sur le papier, il est donc nécessaire de nettoyer les bâtons de pastel avant de les utiliser. Quand on doit transporter un petit nombre de pastels sans coffret, il est conseillé de les placer dans un bocal rempli de riz, car le frottement des grains les nettoie.

▶ *Un coffret de ce type permet de ranger les pastels correctement si on les achète à l'unité. Le coffret sera muni de compartiments afin de pouvoir regrouper les teintes par couleurs et d'éviter que les bâtonnets perdent leur pureté en se mélangeant.*

Pour préserver la propreté des pastels, l'une des meilleures solutions est de tapisser le coffret d'une mousse alvéolée qui épouse la forme de chacun des bâtonnets. Ainsi, entiers ou en morceaux, les pastels seront toujours mieux protégés que si on les laisse sans protection dans le coffret. En outre, le repérage des teintes s'en trouvera facilité et les couleurs resteront intactes.

LA FABRICATION D'UN PASTEL

▶ **1.** *Pour fabriquer un bâton de pastel, il faut les outils et les ingrédients suivants : un couteau de peintre (1) pour pétrir la pâte, une spatule pour mélanger la couleur dans le récipient (2), un récipient dans lequel on élabore la pâte (3), le pigment avec lequel on obtient la couleur (4), de la craie précipitée (5), de la gomme adragante (6), de l'eau (7) et une surface lisse (marbre, verre ou grande palette de peintre) (8).*

Ce point est intéressant pour comprendre quelle qualité il convient d'obtenir pour un bâton de pastel. Comme dans n'importe quel procédé pictural, il est important que l'artiste connaisse bien les étapes de fabrication du moyen d'expression qu'il utilise, voire qu'il soit lui-même en mesure de pouvoir composer ses propres peintures s'il le désire. En général, l'élaboration des pastels n'est pas difficile mais elle est laborieuse à moins que l'on ait une certaine expérience et, surtout, elle n'aboutit pas toujours aux résultats escomptés.

▶ **2.** *Dans le récipient, préparez la solution qui va servir à agglutiner le pigment. Elle est composée d'eau et de gomme adragante. Il faut quelques gouttes de gomme adragante pour chaque cuillère à soupe d'eau. Cependant, toutes les couleurs ne respectent pas les mêmes proportions. Ensuite, il faut bien remuer l'eau et la gomme pour obtenir un mélange homogène.*

On peut suivre le même procédé de fabrication que celui expliqué ici en utilisant des restes de pastels. Il faut les écraser dans un mortier sans ajouter de craie précipitée et mélanger la poudre ainsi obtenue avec une solution composée d'une cuillère à soupe d'eau et de deux gouttes de gomme adragante.

▶ **3.** *Mélangez la craie précipitée avec la solution obtenue en 2. Si la pâte est sèche, ajoutez un peu d'eau jusqu'à obtention d'une pâte souple. Pétrissez la couleur en ajoutant le pigment au mélange. La pureté du pastel dépend de la quantité de pigment ajoutée à la pâte. Si l'on ajoute trop de craie précipitée, le bâton de pastel sera trop cassant. Après avoir modelé la pâte en petits cylindres, placez-les sur une feuille de papier. Laissez sécher les bâtonnets quelques jours avant de les utiliser.*

LES DIVERS SUPPORTS

En général, on dessine ou on peint au pastel sur du papier. Il s'agit là d'une habitude plus que d'une contrainte technique, car, avec ce moyen d'expression, on peut utiliser n'importe quel matériau comme support. Bien que la plupart des exercices proposés dans ce livre le soient sur du papier, il n'est pas inutile d'aborder d'autres supports aussi fiables que le papier traditionnel et sur lesquels on peut également obtenir des résultats intéressants.

◀

Le carton. Le carton est économique voire gratuit s'il provient d'emballages. Bien des peintres amateurs auront maintes fois jeté tout type de cartons : cartons ondulés ou papiers cartonnés. Comme la surface du carton est poreuse et très absorbante, le pastel y adhère particulièrement bien. En outre, le carton peut présenter un intérêt particulier de par son épaisseur ou sa couleur qui font ressortir les teintes lumineuses et pures du pastel.

▼ *Le bois ou le carton toilé. Le bois, notamment l'Isorel, offre une surface qui se prête à la peinture au pastel. Ce support présente l'avantage d'être rigide et d'avoir une surface à la texture particulière. L'autre support rigide le plus adapté au pastel est le carton toilé. On en trouve de tous les formats dans les magasins spécialisés.*

▼ *Les toiles préparées. Les magasins d'arts graphiques proposent un vaste choix de toiles préparées prêtes à l'emploi. Elles se vendent au centimètre ou montées sur un cadre. Pour le pastel, il est préférable d'acheter un fond seulement et de l'utiliser comme une feuille de papier. Que le support soit du papier ou une toile, il est indispensable de s'équiper également d'un plan de travail ainsi que de punaises, de pinces ou de ruban adhésif.*

LE PAPIER

Comme le pastel est opaque et sec, il est adapté, nous l'avons vu, à une grande variété de supports, mais le papier est sans doute celui qui présente le plus d'avantages. La plupart des papiers conviennent, cependant il est conseillé d'utiliser ceux spécialement conçus pour le pastel, car ils permettent de faire ressortir la beauté du trait et les effets de couleur.

▼ *Les papiers de couleur. Ce sont les plus utilisés pour le pastel. Les fabricants les plus connus proposent une grande diversité de papiers qui offrent un éventail de couleurs. Au début, on peut acheter des papiers ocre ou bruns et, plus tard, quand on commencera à mieux maîtriser la technique, on pourra travailler sur des couleurs plus affirmées. La couleur du papier a une importance considérable dans la composition, car elle s'y intègre comme une couleur supplémentaire et finit par faire partie de la gamme de couleurs utilisée.*

Le papier aquarelle. Il convient également pour dessiner au pastel car il est assez absorbant. Il en existe toute une gamme, mais il est conseillé de le choisir avec un grammage fort. ▼

▼ *Le papier à dessin. Un bloc de papier à dessin est un bon complément pour réaliser des essais de couleur et des croquis.*

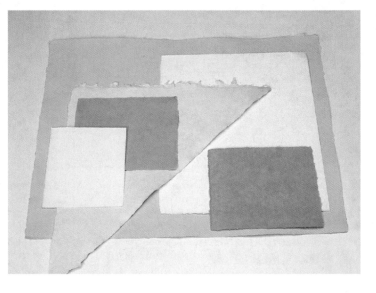

◀ *Les papiers façonnés à la main. De texture grossière, ils donnent des résultats particuliers. En principe, ils ne sont pas recommandés à l'apprenti pastelliste, ce qui n'exclut pas qu'il puisse les utiliser dans certains cas. Comme le montre la photo, ces papiers peuvent présenter des formats originaux.*

LE GRAIN DU PAPIER

Pour une technique aussi directe que celle du pastel, les caractéristiques du support influencent les différentes étapes du travail et, bien entendu, le rendu final. Le papier, sans parler de sa couleur, se caractérise par sa texture. Elle est déterminée par le procédé de fabrication du papier alors qu'il se présente encore sous forme de pâte. Si le papier est façonné sur un tamis très grossier, sa texture le sera aussi. Cette surface texturée est aussi appelée « grain ».

▼ Sur le papier façonné à la main, le grain prend toute son importance quand on sait bien en tirer parti. On peut appliquer le pastel par empâtements et obtenir ainsi une multitude d'effets en jouant sur le grain du papier.

Outre les papiers façonnés à la main, on peut aussi se procurer des papiers épais qui sont moins chers. Le trait n'y sera pas aussi délicat, quoique, on le verra plus loin, ils permettent d'obtenir des effets très expressifs.
▲

▼ En général, les papiers façonnés à la machine ont des textures différentes d'une face à l'autre. Sur la surface la plus lisse, c'est le tracé du pastel qui dicte sa loi. On peut y dessiner sans que la trame du papier ne ressorte (à gauche). Si l'on retourne la feuille, on verra que sa texture change passablement. De ce côté, la surface devient uniformément rugueuse et l'on peut y apprécier le grain du papier (à droite). C'est cette face qui convient le mieux à la technique du pastel, car ce n'est pas seulement le bâton de pastel qui opère mais aussi la surface même sur laquelle le trait ou l'aplat de couleur sont appliqués.

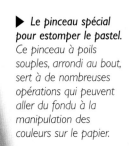

▶ *Le pinceau spécial pour estomper le pastel.* Ce pinceau à poils souples, arrondi au bout, sert à de nombreuses opérations qui peuvent aller du fondu à la manipulation des couleurs sur le papier.

▼ **Les estompes en papier.** *Il s'agit de petits fuseaux de papier absorbant, enroulés en spirale et dont l'extrémité est une pointe dure. Ils peuvent être utilisés de différentes manières. On peut s'en servir pour dessiner en trempant la pointe dans la poudre de pastel, mais aussi pour fondre des traits ou éliminer certains pigments qui n'ont pas bien adhéré au papier.*

LES ESTOMPES

L e pastel n'est pas fait pour être fixé. Une fois appliqué sur le papier, il est très sensible au toucher à tel point que le moindre frottement l'altère en surface. Mais c'est précisément cette instabilité qui permet ce mélange des couleurs sur le papier.

Grâce à la technique du fondu, il est possible d'obtenir une surface uniforme à partir d'un trait ou d'une bande de couleur. Cela permet d'éliminer la trace laissée par le bâton de pastel ou l'effet de texture rendu par le grain du papier. Il existe de nombreuses méthodes de fondu et s'il y a d'autres moyens d'obtenir des estompages, l'outil le plus pratique est souvent le bout des doigts.

▶ **Les petites estompes en mousse.** *Elles permettent un estompage très précis sur des détails du tableau. Ce sont de petites éponges fixées sur un manche de pinceau.*

▶ **Les pinceaux à poils souples.** ◀ *Ces pinceaux permettent de nettoyer facilement les endroits éventuellement tachés par de fines particules de pigment. Ils servent également à estomper ou à fondre les couleurs.*

◀ *Lorsqu'on doit estomper de la poudre de pastel sur le papier sans recourir au bâton, on peut se procurer les outils adéquats, ou tout simplement utiliser un bout de papier d'émeri fin. On peut aussi employer le papier d'émeri pour tailler les extrémités et les pointes.*

LE FIXATIF

Le pastel étant sec et d'une grande pureté de couleur, il n'est que très peu résistant au toucher. C'est ce qui en fait une technique picturale particulièrement délicate. En règle générale, il est conseillé de ne pas fixer la peinture au pastel, même s'il existe des fixatifs en vaporisateur qui, utilisés correctement, permettent de protéger une œuvre du moins dans les premières étapes de sa réalisation. Il est important de comprendre que le fixatif présente de gros inconvénients pour le pastel. Par conséquent, on doit être prudent lors de son utilisation.

Les magasins spécialisés proposent toute une gamme de produits permettant de fixer le pastel dont quelques-uns vous sont présentés ici. Les grandes marques d'articles de peinture offrent des produits de très bonne qualité. Il est important, quand on achète l'une de ces bombes, de vérifier qu'elles ne contiennent pas de produits nocifs à l'environnement. Leur composition est souvent indiquée sur l'étiquette.

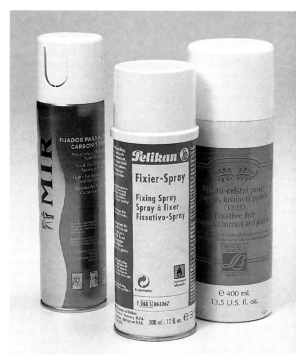

Observez la différence entre le rendu final fixé et non fixé. Dans le premier cas, on peut apprécier l'éclat des couleurs et la spontanéité du trait. Dans la partie qui a été fixée, la peinture s'est alourdie et empâtée. Cet exemple montre les effets évidents du fixatif.

Le fixatif ne doit pas être utilisé au moment des finitions sinon la couleur éclatante du pastel s'obscurcira et s'empâtera. L'application du fixatif s'effectuera donc à n'importe quel stade de la réalisation de l'œuvre si tant est que cette étape soit considérée comme terminée. Par exemple, on pourra fixer le dessin initial quand celui-ci sera parfaitement défini. Après fixage, toute application d'une nouvelle couleur ne viendra ni altérer ni modifier la couche fixée. Le fixatif doit être vaporisé à 30 cm au moins de l'œuvre et il suffit d'une simple pulvérisation pour stabiliser la couleur sur le papier.

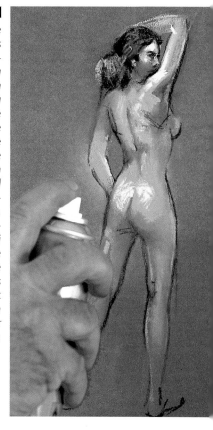

L'ENCADREMENT ET LA CONSERVATION

C omme on a pu le constater, le pastel est un outil passionnant et bien qu'il soit particulièrement fragile, il offre autant de possibilités que n'importe quelle autre technique picturale. Un tableau au pastel pourra se garder s'il est correctement encadré et conservé. Si, au contraire, on ne lui prodigue pas les soins nécessaires, il est probable que l'œuvre finisse par se détériorer.

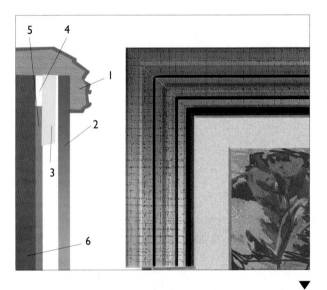

▼ *Quand on vient de terminer un pastel, il est frais, autrement dit, tout contact avec la surface du support peut le détériorer. Cela ne signifie pas que vous ne pourrez pas le conserver. En effet, c'est l'une des techniques de peinture qui supporte le mieux de vieillir si tant est que l'on sache conserver les pastels correctement. Pour ranger un pastel provisoirement, il faut le placer dans un carton à dessin entre deux feuilles de papier cristal ou bien avec une feuille de papier propre qui protège la surface peinte. Les pastels ainsi préservés ne doivent pas bouger si l'on veut éviter tout frottement avec leur surface. Si les pastels doivent être rangés durablement dans le carton à dessin, il est conseillé d'y ajouter un petit sachet contre l'humidité afin d'éviter la moisissure.*

Ces graphiques montrent comment un pastel doit être encadré. D'abord, le papier ne doit jamais toucher la plaque de verre ou de plastique. Pour éviter tout contact, on utilise un carton épais appelé passe-partout que l'on place entre le pastel et la plaque de verre. Le passe-partout permet de cadrer parfaitement le tableau. Dans le commerce, on trouve un vaste choix de passe-partout de formats et de coloris différents, prêts à monter sur tout type de cadres préfabriqués. Pour éviter qu'il ne bouge, le pastel doit être fixé sur le fond du cadre avec du ruban adhésif de préférence à Ph neutre afin qu'il ne marque pas le papier. Cadre (1), verre (2), passe-partout (3), espace vide (4), pastel (5) et fond en contreplaqué (6).

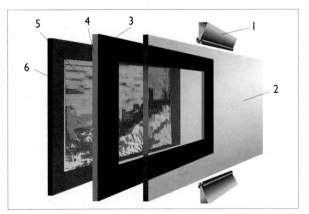

▶ *Voici la solution la plus simple et la plus économique pour encadrer son œuvre avec des pinces spéciales. Ceci étant, on ne peut pas se passer du passe-partout, car il est indispensable que la plaque de verre ou de plastique rigide ne touche pas le papier. Pinces (1), verre (2), passe-partout (3), espace vide (4), pastel (5) et fond en contreplaqué (6).*

1   Les traits et les aplats

LES PREMIERS TRAITS

D ans cet exercice, on étudiera les premiers traits au pastel. Comme le montrent les illustrations, le pastel permet de dessiner ou de peindre sur toute la surface et d'obtenir aussi bien des lignes fines que des lignes plus grossières selon l'épaisseur de l'extrémité et la longueur du bâtonnet. L'esquisse est la première étape de la technique.

Le pastel est une technique de peinture aux multiples ressources dont nous allons étudier maintenant les notions de base. Comme on le verra tout au long de cet ouvrage, on peut faire l'apprentissage du pastel de façon progressive. Cependant, l'apprenti pastelliste devra réviser consciencieusement chacune des étapes des exercices proposés afin d'acquérir de l'expérience et apprendre à maîtriser la technique.

1. Il serait absurde d'utiliser un crayon ou un fusain pour réaliser la mise en place d'une œuvre au pastel, car le bâton de pastel permet un trait net et incisif sur le support sans qu'il soit nécessaire d'employer d'autres outils. Comme le pastel est couvrant, il permet d'obtenir les mêmes traits qu'avec un fusain, à ceci près que le pastel est plus dense. Grâce à l'opacité des couleurs, on peut couvrir n'importe quel trait ou n'importe quelle correction.

2. S'il est vrai qu'en peinture la quantité de couleur varie en fonction de la quantité de peinture que l'on peut appliquer avec un pinceau, ce n'est pas le cas avec le pastel. En effet, avec un bâtonnet, on peut seulement varier la texture d'une touche, mais il est impossible d'étendre la couleur comme avec un liquide. La peinture au pastel est faite à base de traits qui peuvent être plus ou moins espacés et aussi larges que le permettent l'épaisseur ou la longueur du bâton ou aussi fins que l'autorisent la pointe du chiffon ou de l'instrument utilisé.

LES LIGNES FINES ET LES TRAITS INTERROMPUS

Les traits qui sont effectués au pastel sont d'une grande richesse. C'est pourquoi avant que l'artiste ne se mette au travail, il est bon qu'il s'entraîne à réaliser les différents traits dont il aura besoin. Tout au long des exercices qui seront proposés, on verra que les traits sont souvent de simples lignes mais qu'ils peuvent aussi prendre la forme d'aplats de couleur interrompus par un léger geste de la main. Dans cet exercice, il s'agit de dessiner une fleur en prêtant attention aux traits dans chaque zone du dessin.

▲ **1.** *Pour réaliser les premiers traits, le pastel dur à section carrée est particulièrement bien adapté. Comme on peut le voir, il ne permet pas d'effectuer que de simples traits. Prenez un morceau de pastel duquel vous aurez retiré la protection papier et l'appliquer à plat. La forme du bâtonnet permet l'application de plages de couleur qui recouvrent facilement chacun des pétales de la fleur. Sans redresser le pastel, mais en tournant doucement la main, la bande de couleur grossière au début s'affine quand vous utilisez le côté du bâtonnet dans le sens de la longueur.*

▼ **2.** *Si vous utilisez l'arête du bâtonnet, le trait devient une ligne avec toute la délicatesse que lui prodigue le mouvement des doigts et du poignet. Comme on le voit ici, la tige de la fleur ainsi que la feuille sur la droite ont été dessinées avec une grande souplesse sans trop de rigueur dans le développement du sujet.*

▼ **3.** *Les traits obtenus avec le chant du pastel peuvent varier en intensité selon la pression exercée sur le bâtonnet. Les traînées granuleuses laissées par le tracé dépendent bien sûr de la texture du papier utilisé mais aussi, en grande partie, de cette pression. Les zones sur lesquelles on a appliqué plus vigoureusement le pastel sont plus denses.*

LE CHANT ET L'EXTRÉMITÉ DU PASTEL

Bien que l'on puisse développer de nombreux points concernant l'utilisation du bâton de pastel, les différences de traits qu'il permet découlent de sa forme. Si on l'utilise à la verticale, il donnera un trait linéaire, si au contraire on l'utilise à l'horizontale, il permettra de couvrir rapidement de vastes plages de couleur. Dans l'exercice suivant, ces différentes possibilités sont mises en pratique.

◄

1. Pour esquisser le ciel, on emploie un morceau de pastel sur le chant que l'on tient entre les doigts pour faire des traits transversaux. Ne pas exercer une trop forte pression afin que l'on puisse encore voir le blanc du papier par transparence, mais couvrir toute la partie correspondant au bleu du ciel en laissant des blancs à l'emplacement des nuages. On appelle cela laisser des réserves, car c'est l'aplat de couleur qui entoure le blanc et en délimite ainsi la forme. La seconde moitié de la composition est également réalisée en tenant le pastel à plat mais cette fois en traçant des traits longitudinaux. Cette manière de dessiner et de tracer les traits permet une esquisse rapide et assurée.

◄

2. Cette deuxième étape est réalisée avec le chant du pastel et un tracé transversal. Cela permet de camper le paysage. Le trait s'opère maintenant sur une base beaucoup plus sûre. Il faut bien insister sur les zones qui requièrent plus de contraste et, au contraire, exercer le moins de pression possible sur les zones où l'on voudra un ton plus doux.

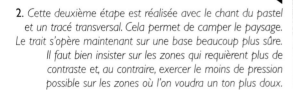

Attention à la superposition des couches de couleurs qui risque de les rendre plus ou moins opaques.

◄

3. Une fois l'esquisse du paysage terminée, on peut intervenir à nouveau pour ajouter certains détails. Il est évident que ces derniers traits doivent être beaucoup plus descriptifs et précis que les précédents. On dessinera ainsi le contour de la montagne dans le fond du paysage ou bien encore cet arbre au premier plan.

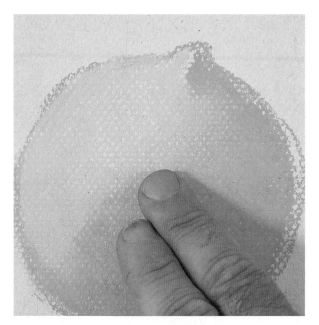

LA FUSION DES COULEURS

Le mélange des couleurs pastel sur le papier peut se faire soit directement avec le pastel, soit en les effleurant du bout des doigts. En effet, quand on passe la main sur du pastel, les couleurs s'opacifient et le trait se fond. Dans cette partie, nous allons donc traiter l'une des techniques les plus utilisées en pastel : le fondu ou la fusion des couleurs.

▶ **1.** *L'exercice consiste ici à dessiner un fruit. Premièrement, prenez un pastel orange et dessinez un cercle. Le remplir de couleur avec un pastel jaune de cadmium doré. Sur le jaune, appliquez du orange en séparant le fruit en deux parties bien distinctes. Sans trop appuyer pour éviter de mélanger les couleurs, frottez légèrement avec les doigts jusqu'à ce que toute la partie droite du dessin prenne une teinte uniforme. À la jonction entre les deux parties, frottez légèrement jusqu'à ce que les deux couleurs se fondent.*

▼ **2.** *Ce point est particulièrement intéressant, car on voit ici que le fondu d'une couleur sur une autre n'implique pas forcément que la totalité du pigment soit touchée. Il suffit de passer doucement son doigt sous la zone de lumière et de laisser le haut intact.*

▼ **3.** *Le pastel permet de superposer autant de couches de couleur que nécessaire. Les contours de chaque nouvel aplat doivent être fondus avec soin. D'un côté, on étire la couleur avec le doigt en faisant presque tout le contour du fruit, de l'autre, dans la zone la plus lumineuse, on disperse le pigment plus grossièrement en laissant la marque du pouce pour obtenir une tache de lumière vierge.*

Une nature morte

Le pastel est le moyen d'expression idéal pour transcrire en langage pictural ce qui, en principe, ne serait que quelques taches de couleur. Dans l'exercice suivant, c'est une première composition au pastel que l'on vous propose de réaliser. Peu importe si le résultat final ne correspond pas exactement à celui des illustrations, car on y arrivera avec la pratique. À condition de suivre chacune des étapes, on pourra facilement obtenir un résultat satisfaisant.

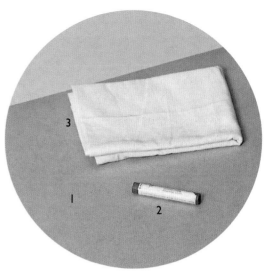

MATÉRIEL NÉCESSAIRE

Papier de couleur (1), pastel (2) et chiffon (3).

Les pastels ayant pour caractéristique d'être très instables, on doit faire particulièrement attention à ne pas effleurer involontairement les pigments quand on les utilise.

1. *Le pastel peut être utilisé aussi bien sur le chant que sur l'extrémité. Comme le résultat est différent selon le cas, il faut tirer le maximum d'avantages de chacune de ces positions. En tenant le pastel à l'horizontale, on peut tracer des lignes droites d'une grande précision et c'est la position que l'on adoptera pour dessiner les côtés du pot. Sur l'extrémité, on obtient un trait plus calligraphique. C'est ainsi que l'on dessinera la sphère qui représentera une pomme.*

2. *Il est plus facile de travailler avec un petit morceau de pastel qu'avec un bâton entier, cela permet d'obtenir une plus grande précision. On coupera donc le bâtonnet et l'on commencera à tracer des traits transversaux en le tenant à l'horizontale et sans exercer une trop forte pression pour éviter de saturer le grain du papier. Pour le pot, le trait n'est que vertical, tandis que pour la pomme, on développera un geste souple en tenant toujours le bâtonnet à l'horizontale.*

3. *Le fond est entièrement dessiné avec le chant du pastel dans un tracé régulier et uniforme. Comme on peut le constater, la capacité de couverture du pastel offre une grande richesse dans le choix du tracé. Observez, par exemple, le caractère du tracé sur la pomme. Il est réalisé en exerçant une certaine pression au niveau des zones les plus sombres. L'ombre de la pomme sur le pot est faite avec l'extrémité du pastel en obscurcissant la teinte plus qu'ailleurs.*

4. *Sur ce détail, on voit comment le fond est dessiné avec la même pression que pour le côté le plus sombre du pot. Jusqu'à présent, les deux teintes sont identiques mais, à l'étape suivante, on appréciera l'effet produit par la super-position de deux traits.*

5. *Un second passage du pastel sur la zone déjà colorée permet d'assombrir la teinte. Cette fois, pour achever l'ombre du pot, on utilise un petit morceau de pastel. L'ombre qui se trouve à l'intérieur du pot est réalisée avec l'arête afin de pouvoir obscurcir suffisamment et de maîtriser un tracé plus incisif.*

A condition de ne pas trop appuyer, on peut effacer le pastel avec une gomme ou avec un chiffon.

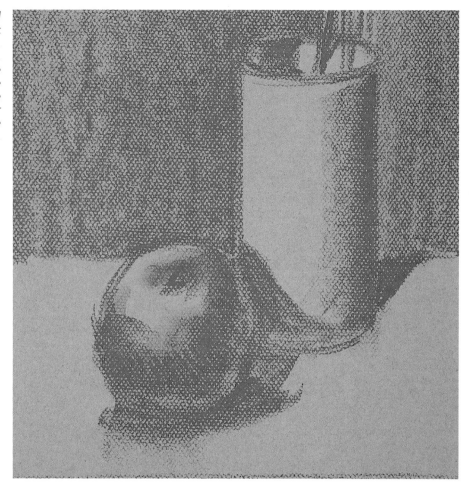

6. *Une fois les premiers traits tracés sur le papier, on peut s'attaquer aux contrastes les plus importants. Ainsi, on passe à l'arête du pastel pour travailler la pomme. La force de ce trait permet d'accentuer les ombres les plus denses sur les zones concernées. L'arête du pastel donne un trait d'une grande spontanéité, mais comme les pigments sont instables, on peut aussi accentuer le trait avec le doigt.*

7. *Pour terminer l'exercice, on a obscurci le fond en repassant de la couleur avec le chant du pastel toujours dans le sens transversal. En appliquant ces ombres, on obtient un parfait contraste de tons avec les zones lumineuses que l'on a laissées vierges.*

SCHÉMA-RÉSUMÉ

Les traits transversaux réalisés avec le chant du pastel permettent de tracer des lignes grossières ayant une texture homogène.

Le trait longitudinal réalisé avec le chant du pastel facilite les dessins plus fins et plus précis.

Le trait réalisé avec l'extrémité du pastel permet de dessiner avec plus d'ampleur dans le geste. C'est ainsi qu'a été esquissée la pomme.

La superposition des traits permet de couvrir le grain du papier.

L'ébauche des formes

LE DESSIN AU PASTEL

Quand on débute dans la technique du pastel, on est d'abord frappé par toutes les possibilités que nous offre son tracé sur le papier. D'une part, on peut dessiner comme avec un crayon, d'autre part, on peut superposer les couleurs aussi bien avec l'extrémité qu'avec le chant du pastel.

Dans la technique du pastel, la façon de tenir le bâtonnet et de l'appliquer sur le papier ressemble à celle de n'importe quelle autre technique de dessin à la différence que le pastel est une technique picturale. Etant donné les qualités de ce moyen d'expression, il doit être traité avec éclat et spontanéité, ce qui interdit tout mélange de couleurs pour en obtenir d'autres. Les magasins spécialisés offrent des gammes de couleurs suffisamment riches pour trouver la teinte dont on pourrait avoir besoin.

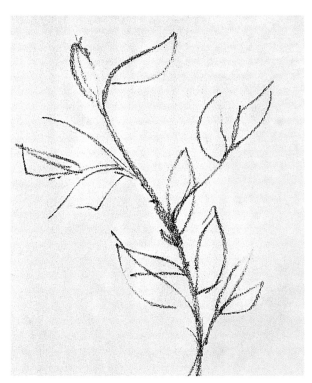

▼ *L'instabilité propre au pastel permet à l'artiste de dessiner, de faire des aplats de couleur et d'effacer de la même manière que dans n'importe quelle autre technique de dessin. Les traits peuvent s'effacer d'un coup de chiffon ou en frottant avec la main. Comme il est possible de se corriger, il est plus facile de structurer son ébauche. Le chiffon qui servira à effacer, de préférence en coton, devra être propre, sinon on risque de salir le papier avec d'autres pigments.*

▼ *Pour réaliser un dessin, le bâton de pastel permet un trait net et direct qui dépend de la manière dont on le tient. Le pastel ayant une capacité couvrante, les traits que l'on peut obtenir avec sont semblables à ceux du fusain aussi bien quand on l'utilise à plat que sur l'extrémité.*

Il suffit de passer le pastel sur le papier pour tracer une ligne, mais il ne faut pas trop appuyer, car on risque de le casser et d'empâter la couleur, chose qui n'est pas nécessaire dans les premières étapes du travail.

L'APPROXIMATION DES FORMES

Avec le pastel, la peinture doit être réalisée progressivement, tant à cause de son opacité que parce qu'il offre la possibilité de se corriger en permanence. Dans l'exercice qui suit, on appréciera parfaitement ce phénomène. Si à la page précédente on a pu voir comment esquisser la forme initiale et constater la facilité avec laquelle on pouvait la corriger, nous allons voir maintenant comment à partir de lignes à peine suggérées, on peut retoucher les formes avec un trait plus sûr.

▶ *1. Le remplissage de la surface du tableau est réalisé à partir de traits qui peuvent être plus ou moins rapprochés et plus ou moins larges en fonction du pastel utilisé. Pour colorer rapidement les feuilles que l'on vient de dessiner, on emploie un pastel vert foncé avec lequel on fera toutes les feuilles. À ce stade, on peut encore voir les tracés.*

▶ *2. Comparé à d'autres moyens d'expression, le pastel n'a pas besoin de sécher mais il est nécessaire d'attendre un peu avant d'appliquer une nouvelle couleur. C'est là que le pastel présente toute sa richesse expressive. Comme on le voit ici, on peut appliquer une couleur claire sur une couleur foncée sans que celle-ci ne la laisse transparaître ou se mélange avec. Sur la première couche foncée de chaque feuille, on peut ajouter une zone plus lumineuse avec un vert très clair.*

▼

3. Il suffit de passer son doigt sur la limite qui sépare les deux couleurs pour que celles-ci se fondent parfaitement. Si deux couleurs sont superposées, il faut éviter de frotter trop fort avec le doigt si l'on ne veut pas mélanger les teintes. Il ne faudra qu'effleurer la ligne de séparation entre deux zones de couleurs pour la fondre délicatement.

LE CROQUIS D'ENSEMBLE

Comme on l'a vu dans l'exercice précédent, pour avoir un geste sûr et précis, il faut partir d'un croquis initial solide. Quand on dessine des éléments très simples qui ne demandent pas une structure de départ complexe pour être développés, un simple dessin préliminaire du type de ceux que nous avons déjà étudiés suffira. Mais si le modèle présente une certaine complexité, il faudra faire un croquis d'ensemble avant de se lancer dans le dessin préalable à la mise en couleurs. Une esquisse schématisant le modèle dans son ensemble, à base de lignes élémentaires, facilitera énormément le développement de la composition.

Il est conseillé de réaliser le contour des formes avec le chant du pastel pour tracer des traits sur toute sa longueur.

▼

I. *Le cadre est tracé sur le papier afin que l'on y développe le sujet sous sa forme la plus élémentaire. En d'autres termes, il faut essayer de visualiser le modèle dans son ensemble comme s'il s'agissait d'un seul objet. Dans cet exemple, on propose une nature morte simple composée de deux citrons. Pris séparément, il serait assez difficile de les représenter avec fidélité, mais si, dans un premier temps, on esquisse l'ensemble en quelques lignes, on les situera plus facilement dans le tableau. À cette étape, on n'a toujours pas dessiné l'intérieur des formes, on ne s'attache qu'à « l'enveloppe » qui les contiendra.*

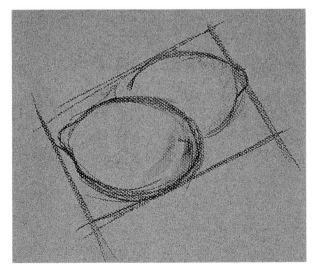

▼ 2. *À partir de cette ébauche toute simple, on peut affirmer encore la forme de base des citrons. En les dessinant, il faut bien estimer la proportion de chacun ainsi que de l'ensemble pour qu'ils cadrent parfaitement avec l'ébauche initiale. En résumé, on peut suivre les étapes suivantes : premièrement, on dessine un cadre avec des lignes droites, puis on décompose la surface de ce cadre en formes simples que l'on affine dans les limites de l'esquisse initiale.*

▼ 3. *Maintenant, la forme des citrons est bien définie. Au début de cette étude, on a vu avec quelle facilité on pouvait corriger le pastel. Il n'est donc pas nécessaire d'effacer les lignes du premier croquis. On peut dessiner directement par dessus, car la nouvelle couleur la recouvrira complètement. Comme on peut le constater, le croquis d'ensemble est très important pour que la suite du travail se déroule aisément.*

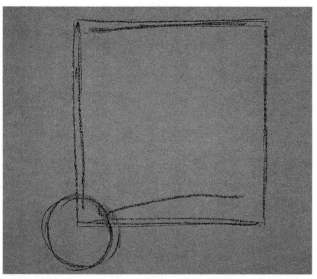

LE DÉCOUPAGE DU CROQUIS DE DÉPART

Quand le modèle est encore plus complexe que celui que nous venons d'étudier, il faut s'aider d'une base plus précise. Les formes symétriques et les objets qui s'approchent des formes géométriques pures sont plus compliqués à réaliser. En effet, il est plus difficile de représenter une simple assiette blanche que la fleur la plus exotique ou le ciel le plus tourmenté. Chaque fois que l'on devra dessiner un objet de forme géométrique, le croquis de départ devra être bien structuré.

▶ 1. *Cet exercice à première vue facile, dès lors qu'il s'agit de dessiner une simple théière et une fleur, est en réalité beaucoup plus compliqué qu'il n'y paraît. En effet, la théière a des formes précises qui imposent à chaque trait de sa structure de s'équilibrer parfaitement avec l'ensemble. La fleur, en revanche, ne requiert pas une si grande précision pour être développée. Pour commencer, il faut mettre l'ensemble en place dans les formes élémentaires qui le composent. Le croquis de la théière est établi à partir de lignes très simples formant un cadre. On peut schématiser la fleur sur la table par un cercle tandis que la tige sera représentée par un simple trait.*

▶ 2. *Si l'on ne dispose pas encore des repères visuels suffisants pour développer la théière, le croquis de la fleur peut, quant à lui, être considéré comme terminé. Dans le cadre carré que l'on vient de tracer, dessiner deux grosses lignes qui serviront d'axes de symétrie au dessin définitif. À partir de cet axe, tracer la sphère du corps de la théière. C'est à ce moment-là seulement que l'on obtient un croquis complet permettant de continuer à tracer l'objet. L'axe vertical sert à déterminer le centre du couvercle ainsi que la base de la théière. L'axe horizontal facilite le point de repère du bec verseur.*

▶ 3. *Le dessin est enfin complété. Sans le croquis de départ qui structure les différentes parties de la composition, il aurait été difficile de développer la forme de la théière. En revanche, pour réaliser la fleur, seuls quelques traits auront suffi.*

pas à pas
Une nature morte

Le pastel n'est pas seulement la technique de peinture la plus complète, c'est aussi celle qui s'approche le plus du dessin. Il est très important d'apprendre à maîtriser chacun des traits rendu possible par le bâton de pastel. Dans l'exercice suivant, nous allons développer ces possibilités avec une seule couleur en partant de l'étude de la composition d'une nature morte. Ce n'est que plus tard que l'on proposera des exercices faisant intervenir toutes les couleurs possibles. Il faudra prêter une attention toute particulière aux formes simples, car elles aident à comprendre et à aborder d'autres formes plus complexes.

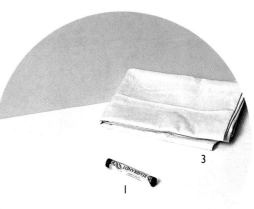

MATÉRIEL NÉCESSAIRE

Pastel terre d'ombre brûlée (1), papier blanc (2) et chiffon (3).

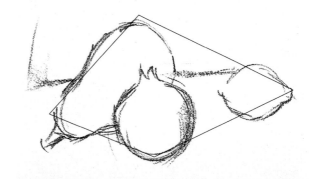

1. Le début de toute composition doit se baser sur un croquis développé jusqu'au bout. Il sera le point de départ de tous les travaux au pastel. Il faut savoir que derrière tous les tableaux, aussi complexes soient-ils, se cachent des formes simples et bien schématisées au départ. Pour réaliser ce premier croquis, c'est l'extrémité du pastel que l'on utilise.

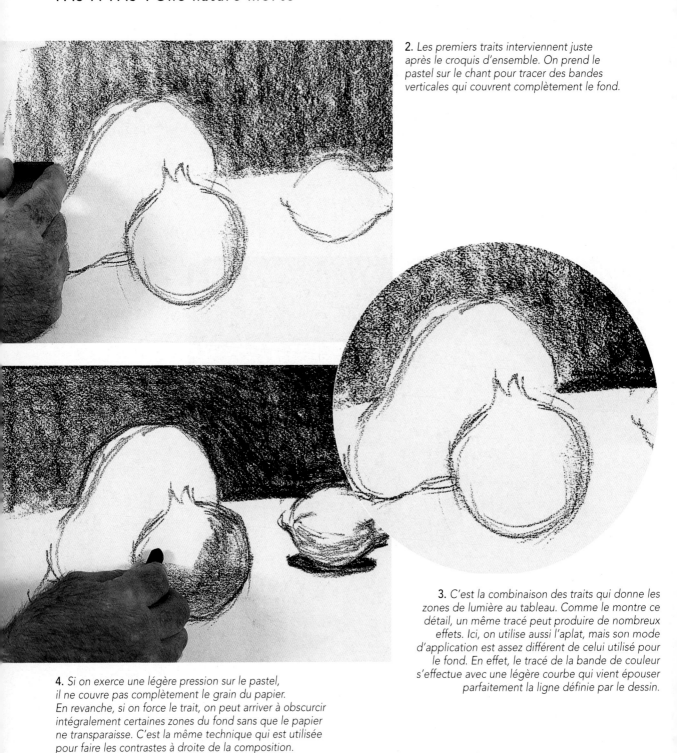

2. *Les premiers traits interviennent juste après le croquis d'ensemble. On prend le pastel sur le chant pour tracer des bandes verticales qui couvrent complètement le fond.*

3. *C'est la combinaison des traits qui donne les zones de lumière au tableau. Comme le montre ce détail, un même tracé peut produire de nombreux effets. Ici, on utilise aussi l'aplat, mais son mode d'application est assez différent de celui utilisé pour le fond. En effet, le tracé de la bande de couleur s'effectue avec une légère courbe qui vient épouser parfaitement la ligne définie par le dessin.*

4. *Si on exerce une légère pression sur le pastel, il ne couvre pas complètement le grain du papier. En revanche, si on force le trait, on peut arriver à obscurcir intégralement certaines zones du fond sans que le papier ne transparaisse. C'est la même technique qui est utilisée pour faire les contrastes à droite de la composition.*

5. *Comme on a pu le constater, le traitement de l'aplat peut être adapté à de nombreuses réalisations. Il pourra permettre de couvrir complètement la texture du papier dans certaines zones ou aussi permettre au trait d'épouser le dessin de la forme. C'est encore avec un aplat que s'effectuera la mise en couleur de la calebasse en appuyant très légèrement sur le pastel afin de ne pas saturer le papier et en suivant la forme. Sur cet aplat, on ajoutera les nervures avec l'arête du pastel.*

Les pastels tendres sont particulièrement indiqués pour les travaux qui exigent des aplats de couleur, le problème est qu'ils s'effritent facilement. Ne jetez pas les petits morceaux de pastel, car ils pourront servir à dessiner des détails.

6. *Quand on veut assombrir une surface déjà colorée, on repasse une couche de pastel par-dessus. Selon la force du trait, l'ombre sera plus ou moins marquée. Sur le fond, on repasse autour des formes de la nature morte, mais sur la gauche cette fois, là où le trait était beaucoup plus léger.*

7. *Pour finir, il ne manque plus qu'un dernier tracé dans le bas de la composition que l'on fera avec le bout du pastel. Tout au long de cet exercice, on a pu voir comment sont appliqués les divers types de traits et comment on développe un croquis. C'est la même démarche qu'il faudra adopter par la suite dans tous les exercices.*

SCHÉMA-RÉSUMÉ

Avec le chant du pastel, on exécute tout le fond à base de traits verticaux.

La superposition des traits permet d'obtenir des zones d'ombre. Si on appuie suffisamment, on peut couvrir complètement le papier.

L'arête du pastel facilite le dessin des lignes et les tracés fins au même titre qu'un crayon.

Si on appuie doucement, le grain du papier ressort. Les zones où l'on voit encore la texture du papier sont colorées très légèrement.

Les surfaces et la technique mixte

LES FACES DU PAPIER

Le grain du papier est, en définitive, ce qui le caractérise. Dans les exercices suivants, on pratiquera sur des papiers de grains différents. Tout l'intérêt du premier exercice consistera à apprendre l'effet du trait sur les divers grains de papier.

> Le pastel peut être utilisé sur n'importe quelle surface et selon divers procédés. Maîtriser la technique et connaître son support sont absolument nécessaires à la réussite d'un tableau. Dans ce thème, nous allons aborder différents aspects de la technique de peinture au pastel, du dessin sur les différentes surfaces à la mise en pratique de l'une des techniques mixtes les plus intéressantes : le pastel et l'huile.

Cet autre arbre est réalisé sur un papier à gros grain. Comme on l'a vu auparavant, le pastel s'adapte à toutes les surfaces. Dans le cas présent, il s'agit d'un papier aquarelle dont le grain est assez prononcé. Quand on passe le pastel sur la surface texturée, la couleur s'adapte à sa rugosité.

▼ *Le papier à grain moyen est probablement l'un des plus utilisés par les pastellistes. Cet exercice consiste à réaliser un arbre simple. Sur ce type de grain, tous les traits sont possibles ; aussi bien un trait léger qui laisse transparaître la texture du papier qu'un trait dense qui couvre complètement le fond.*

▶ *Le papier à grain fin permet un type de trait parfaitement homogène et sans aucune texture. Néanmoins, il ne faut pas utiliser n'importe quel papier de ce type. Les plus appropriés sont ceux dont la texture est légèrement en relief et quelque peu abrasive pour le pastel. Comparez ce pastel avec les deux autres pour observer les différences de rendus.*

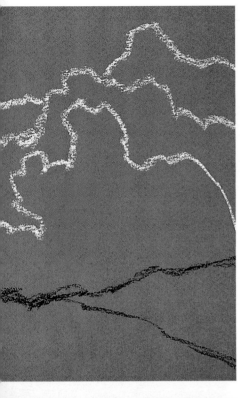

▶ **1.** *Comme nous venons de le voir, le papier a toujours une grande importance, surtout dans des cas comme celui-là, dans lequel le grain est pratiquement inexistant. Le dessin de départ sera toujours fondamental, du moins pour pouvoir appliquer les principales masses de couleur. Quand on utilise un papier à grain fin, l'effet de texture que produit le dessin est minime.*

LA PRATIQUE SUR DU PAPIER À GRAIN FIN

Le pastel est une technique qui rend possibles des contrastes d'une grande spontanéité. Comme elle ne requiert pas de temps de séchage, les résultats peuvent être appréciés immédiatement. Le paysage est un sujet très apprécié, car il donne lieu à toute une gamme d'effets réalisés à partir de procédés qui vont de l'impact direct de la couleur à la fusion et au façonnage des teintes. Le grain du papier rend sa texture plus ou moins visible. Dans l'exemple suivant, on utilise un papier à grain fin, mais le verso d'une feuille de papier pastel texturé peut également servir.

▶ **2.** *Le ciel est peint en bleu et les nuages en blanc. On fondra les tons avec le bout des doigts et l'on appliquera une nouvelle teinte sur le blanc des nuages. Cette fois le fondu est moindre, il sert uniquement à adoucir le trait. Au premier plan, on réalise un fort contraste très sombre à partir duquel on délimitera entièrement les différents plans du tableau.*

◀

3. *Il ne faut pas traiter l'œuvre à base d'estompages. On doit plutôt alterner les fondus avec l'application directe de la couleur, sans quoi le tableau risquerait d'être trop affecté. Sur ce type de papier au grain presque invisible, il est intéressant de réaliser un traitement alternant les contrastes fondus et l'application directe de la couleur.*

LA PRATIQUE SUR DES PAPIERS DE COULEUR

La surface à peindre ne doit pas forcément être blanche, c'est pourquoi les fabricants proposent une large gamme de papiers de couleur. Dans la pratique, l'artiste choisit la couleur de son papier de façon à ce qu'elle soit en harmonie avec les couleurs de pastels qu'il va utiliser. Nous proposerons ici de faire un exercice simple sur trois papiers de couleurs différentes afin que l'on puisse apprécier les rendus du pastel en fonction des fonds.

◀

1. On juxtaposera trois feuilles de papier de couleurs différentes que l'on fixera avec du ruban adhésif pour se constituer un support. Le paysage sera représenté avec un pastel foncé. Dessinez la structure des montagnes et le premier plan avec un trait fin, puis avec du bleu, faites le ciel. Chacune des couleurs de papier donne un résultat différent selon la couleur de pastel utilisée.

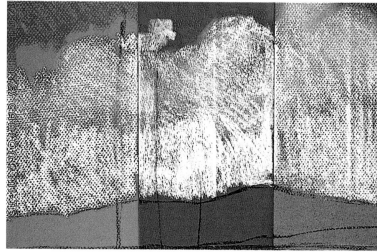

◀

2. Les nuages sont peints en blanc, sans trop appuyer sur le pastel, pour éviter de boucher complètement le grain du papier. Que l'on travaille avec le chant du pastel ou avec son extrémité, il est possible de laisser le fond respirer à travers le trait. Observez comme chacune des couleurs du papier se comporte de façon différente pour chacun des tracés blancs. Il en va de même avec le jaune qui sert à colorer la base du sol.

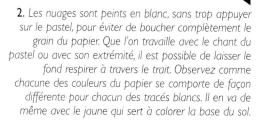

Dans la mesure du possible, utilisez du papier de bonne qualité, au mépris des bristols ou autres ersatz, car ces derniers jaunissent en vieillissant.

◀

3. Chaque feuille de papier de couleur répond à sa manière à la teinte qui lui est appliquée. Et de la même façon que la couleur du papier transparaît à travers les traits, une plage de couleur peut apparaître à travers de nouveaux traits.

LE PASTEL ET LA TOILE

S i on peut utiliser le pastel sur n'importe quelle surface, et si le papier reste le plus adapté, nombreux sont les pastellistes à préférer la toile. On peut y appliquer tout type de pastel, mais il est recommandé d'utiliser les pastels à l'huile. Ces pastels adhèrent très bien à la toile et peuvent être traités au white-spirit et au pinceau. En outre, ils se marient parfaitement à la peinture à l'huile.

▼ **1.** *Comme sur les autres supports, quand on applique le pastel sur une toile, on peut combiner plusieurs types de traits pour obtenir différents résultats. Comme on peut le voir, les couleurs pastel sont beaucoup plus denses sur la toile, car la texture d'une toile préparée est plus abrasive que celle du papier et ses pores sont plus absorbants aux pigments.*

▼ **2.** *Quand on peint au pastel à l'huile, il arrive que la peinture soit si compacte qu'elle crée des zones d'une intense densité. Cela ne prive en rien le pastel de sa capacité couvrante. Dans cet exemple, on peut voir à quel point les ombres de la nappe ont changé.*

▼ *Le pastel à l'huile peut être fondu sur la toile à l'aide d'un pinceau trempé dans du white-spirit. Cela liquéfie le trait et permet d'alterner zones fluides et zones sur lesquelles on distingue encore le trait. Comme on le voit ici, et contrairement à ce que l'on pourrait croire, le pastel est une technique sans limites.*

pas à pas
Bouquet au pastel et à l'huile

La technique abordée ici ne présente pas de difficultés particulières, les règles de base étant extrêmement simples. Il s'agit de peindre au pastel et d'élaborer le reste du tableau avec un pinceau imprégné de peinture à l'huile ou d'huile de lin. Dans le processus du mélange des couleurs, les fines particules de pastel se fondent parfaitement à celles de l'huile. L'intérêt de cette technique réside dans la rencontre entre l'effet produit par le trait du pastel à l'huile et celui du pinceau avec de la peinture à l'huile.

MATÉRIEL NÉCESSAIRE

Pastels (1), peintures à l'huile (2), palette (3), pinceaux (4), carton toilé (5), essence de térébenthine (6), huile de lin (7) et chiffon (8).

1. *On commence la peinture par une ébauche rapide réalisée avec une peinture à l'huile très diluée et un pinceau presque sec. Il ne s'agit pas d'enduire le tableau d'huile de lin ou de white-spirit pour pouvoir tracer directement au pastel sans que les couleurs se fondent. Une fois le dessin terminé, on applique les premières couleurs. Peindre d'abord la fleur rose avec des traits très souples et directs. Y appliquer la couleur grise des marguerites sous forme d'ombres et passer directement aux autres couleurs sans attendre d'avoir achevé la forme des fleurs.*

2. On vient d'ébaucher la forme des fleurs ainsi que celle des feuilles et des tiges. Avec un pinceau légèrement humecté d'huile de lin, on étire la couleur des tiges jusqu'au bord du vase, de manière à suggérer leur forme en donnant de la valeur. Avec un pastel gris violacé, on colore les zones d'ombre du drap du fond.

3. On passe un pinceau légèrement humecté de white-spirit sur la forme des tiges, de sorte qu'il s'imprègne de vert. Avec des petits coups de pinceau, on trace quelques lignes pour que la fleur jaune commence à prendre forme. Pour l'instant, tout le travail est effectué au pastel, sauf quelques interventions à l'huile comme l'ébauche. Afin de préparer une bonne base pour la peinture à l'huile, la surface doit être la moins grasse possible.

4. On effectue quelques touches de pastel directes avec le rose violacé pour définir la teinte initiale qui servira de base à la peinture à l'huile. Avec une huile vert olive, on peint les feuilles de droite, en superposant la peinture au pastel sans l'effacer. On prend une huile bleu violacé pour la partie foncée de l'intérieur des tiges et on peint les ombres des feuilles et des tiges avec un vert foncé. Le vase est fait au pastel blanc qui sera ensuite mélangé avec une peinture grise dans sa partie la plus claire.

5. *La fleur jaune est développée par quelques touches de pastel et d'huile. Chaque coup de pinceau retire un peu de la couleur du pastel et les deux moyens d'expression se mélangent directement sur le tableau. On applique également des aplats de couleur foncés au bout des pétales de la grande fleur centrale. De la même manière, on applique quelques touches de peinture grise sur le pastel gris des marguerites du fond. Les feuilles du haut de la composition sont assombries en étirant de la peinture qui entraîne dans son sillage une partie de la couleur du dessous.*

Ce n'est pas très compliqué de peindre à l'huile et au pastel. Il faut seulement éviter de saturer toutes les zones à la peinture à l'huile, car le pastel doit transparaître à travers les traits qu'on lui superpose.

6. *Cette étape du travail est celle de la fusion et de l'application de petits aplats de peinture sur le pastel. On obtient la forme des fleurs en alternant les touches de peinture couvrantes et celles qui se fondent avec le pastel du dessous. Avec un pinceau trempé dans l'huile de lin, on repasse sur les ombres du drap du fond et si elles sont encore trop claires, on peut y ajouter un peu de pastel gris violacé.*

7. *Une fois que l'on a peint les principaux aplats à l'huile et que l'on a effectué les fondus, on rajoute quelques touches de couleur avec plusieurs pastels à certains endroits bien précis des fleurs. On appuie fort sur le bâton de pastel pour bien charger le support d'une couleur qui en sera plus lumineuse. On peut alors considérer que cette œuvre réalisée avec la technique mixte pastel et huile est terminée.*

SCHÉMA-RÉSUMÉ

Le croquis de départ est réalisé avec une peinture à l'huile très diluée. Les premières couches de couleur, dans une technique mixte comme celle-ci, doivent toujours être moins grasses que les suivantes.

Le drap du fond est peint au pastel repassé avec un pinceau trempé dans le white-spirit pour fondre les couleurs.

Des touches de pastel couvrant créent les zones de lumière entre les feuilles et les tiges.

Les premiers aplats de couleur sont effectués au pastel et servent de base à la finition de la forme des fleurs. Le pastel vient s'adapter parfaitement au fond et il peut ensuite être fondu avec de la peinture à l'huile.

40

Les gammes de couleurs

LES GAMMES CHROMATIQUES

Que signifie : le pastel est un moyen d'expression pictural ? Tout simplement que sa souplesse d'utilisation tout comme le résultat qu'il produit permettent à l'artiste d'obtenir tous les effets de texture ou de couleur propres à la peinture. La principale caractéristique de la peinture au pastel est sa richesse de coloris et la valeur chromatique de chaque trait. Les couleurs du pastel ne sont pas obtenues à partir de mélanges mais en l'appliquant directement.

> La technique du pastel gagne en complexité en fonction des capacités de l'artiste. La connaissance du matériel dont il peut disposer permettra au pastelliste d'aborder cette technique en l'enrichissant à mesure qu'il explorera de nouveaux sujets. En tant que matériel pictural, le pastel offre de nombreuses possibilités d'expression tant dans l'application de la couleur que par la richesse des coloris disponibles.

▶ *Une gamme chromatique est celle qui présente une harmonie entre les teintes qui la compose. Ainsi, quand on observe la palette des couleurs pastel, on peut distinguer les tons chauds et les tons froids. Une gamme de couleurs peut, par exemple, être celle des couleurs « terre » qui comportent une grande variété de tons.*

Comme les gammes de couleurs pastel peuvent être très étendues, il est recommandé d'utiliser des assortiments de teintes adaptés à des réalisations précises : les assortiments « marine », « paysage » ou « portrait ».

◀

D'autres gammes chromatiques déclinent tous les tons disponibles pour une même famille de couleurs. Par exemple, les couleurs froides sont tous les bleus, les verts, les jaunes verts et les violets. La gamme des couleurs chaudes est composée des rouges, des jaunes orangés et des oranges.

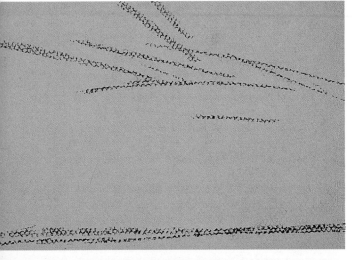

LES COULEURS CHAUDES

Les gammes de couleurs sont composées par un ensemble de teintes que l'on classe par chaleur de tons. Chaque gamme permet d'exécuter des sujets différents, même s'il est possible d'interpréter un modèle à partir d'une gamme précise. Si on observe un ciel à midi, on peut y découvrir une grande variété de tons froids qui peuvent cependant être interprétés par des couleurs chaudes. Dans l'exercice suivant, il s'agit d'étudier les différentes couleurs chaudes.

▶ **1.** *La couleur du papier influencera de manière décisive les couleurs qui seront utilisées. Le croquis de départ peut être réalisé avec n'importe quelle couleur. Peu importe qu'elle soit plus ou moins claire que les couleurs qui seront choisies par la suite, car le pastel est assez couvrant pour que l'on puisse superposer n'importe quelle couleur sans qu'elle altère la couleur précédente.*

▶ **2.** *On commence à appliquer les premières couleurs qui servent à colorer le fond du ciel, étape qui sera effectuée avec le chant du pastel. L'obturation ou non du grain du papier sera déterminée par la force avec laquelle on passera le pastel. Les couleurs utilisées dans cet exercice appartiennent toutes à une gamme de tons chauds. Dans la partie basse du ciel, on applique un ton rouge, fondu sur la teinte initiale.*

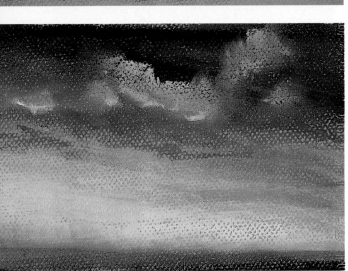

▶ **3.** *On peint les nuages avec des tonalités très lumineuses de jaune de Naples. Si la technique n'est pas très compliquée, il faut cependant travailler avec soin, car la teinte lumineuse doit se fondre complètement avec le fond. Une fois la couleur appliquée sur les nuages, l'étirer doucement avec les doigts pour qu'elle s'intègre dans le fond. Passez une autre couleur encore plus claire sur les masses lumineuses afin de donner plus de lumière aux nuages. Cette fois, les tons clairs ne devront pas se fondre avec les précédents.*

LES COULEURS FROIDES

Dans l'exercice qui est maintenant proposé, les couleurs utilisées appartiennent à la gamme des tons froids. Cette gamme chromatique comprend les bleus, les verts et quelques jaunes. Comme dans l'exercice précédent, il s'agit ici de découvrir comment appliquer une certaine gamme de couleurs. Nous allons prendre pour exemple la peinture de la surface de l'eau sur un papier d'un bleu très lumineux.

1. On dessine une ligne d'horizon très haute, car le sujet qui va être développé – à savoir l'eau – occupera toute la place restante. Cette simple ligne d'horizon marque le début d'un dégradé. Commencez avec un bleu foncé, en traçant des traits toujours horizontaux, et en poursuivant avec un bleu moyen pour finir avec un vert émeraude. On ne fond encore aucune teinte et, dans certaines zones, on aperçoit la couleur du papier.

2. Tout doucement, on effectue un fondu délicat des tons appliqués. Les limites entre les couleurs doivent disparaître presque complètement et le trait en tant que tel s'évanouit dans un léger dégradé qui se mélange au fond. Il ne faut pas trop appuyer avec les doigts en faisant le fondu, un effleurement est plus que suffisant pour obtenir ce rendu sans compter qu'il faut éviter de saturer le grain du papier par une pression excessive.

3. On applique des tons plus clairs sur les précédents pour représenter les parties les plus lumineuses des ondes de l'eau. On emploie également des teintes foncées qui contrastent aussi bien avec le fond qu'avec les traits clairs. Ce sont ces derniers détails qui donneront à la surface texture et luminosité. Les zones de lumière sont très ponctuelles et elles résident dans des tons beaucoup plus clairs et lumineux que ceux utilisés pour la base chromatique du dégradé.

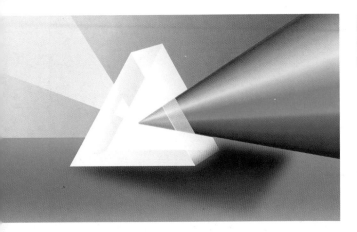

LES COULEURS COMPLÉMENTAIRES

Si l'on fait passer un faisceau de lumière à travers un prisme de verre, la lumière blanche se décompose en un spectre chromatique de la même manière que se forme un arc-en-ciel à travers les gouttes d'eau. Les couleurs de l'arc-en-ciel sont la base à partir de laquelle on obtient les autres couleurs que l'on trouve dans la nature. On aura compris que pour travailler au pastel il n'est ni nécessaire ni indiqué de faire ses propres mélanges de couleurs, car toutes les couleurs sont disponibles dans les coffrets. Nous allons étudier maintenant l'effet produit si on utilise correctement ces couleurs.

▼ *Quand un faisceau de lumière blanche se décompose, il produit un ensemble de couleurs qui se répartissent en couleurs primaires (jaune, cyan et pourpre), couleurs secondaires (vert, rouge et bleu foncé) et couleurs tertiaires (orange, carmin, violet, bleu outremer, vert émeraude et vert clair).*

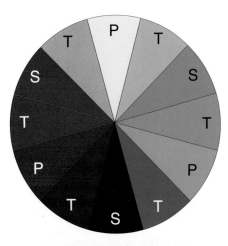

▶ *Si ces couleurs sont placées par gradation sur un cercle, on obtient le fameux cercle chromatique sur lequel figurent les couleurs complémentaires qui sont celles qui se font face.*

Sur du papier bleu, on peint une fleur en rouge, sa couleur complémentaire. On voit alors à quel point cette couleur ressort sur le papier. Aussi, les petites brèches laissées entre les traits rouges laissent affleurer le bleu du fond produisant ainsi un fort contraste. ▲

▶ *Si l'on choisit un papier rouge, on peut le travailler avec ces couleurs complémentaires, ce qui produit un contraste très fort et fait vibrer les couleurs. Le pastel est particulièrement indiqué pour ce type d'effets visuels étant donné sa grande pureté.*

Les paysages aux tons froids

Le paysage est l'un des sujets les plus intéressants, car il permet de développer toutes sortes de gammes chromatiques. Celui que nous allons étudier présente toute une richesse de nuances dans la gamme des tons froids. Sur ce modèle, on peut voir un nombre incalculable de touches de couleur dans la gamme des bleus et des blancs. L'élaboration de cette composition peut sembler quelque peu complexe, mais en suivant bien les explications, on obtiendra sans aucun doute un résultat plus que satisfaisant.

MATÉRIEL NÉCESSAIRE

Papier de couleur tabac (1), pastels (2) et chiffon (3).

1. *Le croquis initial est réalisé avec une couleur claire qui ressort sur le fond. Dessiner tous les arbres serait quasiment impossible. Il faut donc ébaucher quelques lignes verticales qui suggèrent la composition. La zone inférieure qui correspond au sol est peinte en blanc et en bleu dans un tracé vertical énergique formant une série de bandes de couleur clairement définies.*

2. *Dans une tonalité blanche, on trace des traits verticaux en blanc cassé dans la zone supérieure correspondant à la partie visible du ciel qui se découpe sur la cime des arbres dénudés. Aussi bien dans le haut que dans le bas de la composition, on réalise un fondu des couleurs avec le bout des doigts pour diminuer le trait momentanément. Avec un pastel noir, on trace les premières ombres sur certains arbres et en appliquant directement du blanc cassé, on ajoute quelques zones claires dans le fond. Il faut réaliser les zones les plus lumineuses avec des traits blancs.*

3. *Dans la zone supérieure, on applique de nouveau des aplats de blanc cassé, mais cette fois de façon beaucoup plus directe. Certaines branches d'arbres sont laissées vierges, c'est-à-dire en réserve. On peint le fond avec une terre verte et l'on fond légèrement les couleurs avec le doigt sans oublier d'atténuer le blanc qui donne aux arbres leur luminosité.*

4. *Dans toute la zone inférieure, intervenir avec un bleu lumineux. Cette couleur se fondra immédiatement dans le fond. Avec du noir, renforcez les troncs des arbres et dessinez les ombres sur le sol, intervention qui permettra d'indiquer parfaitement la direction de la lumière.*

5. La profusion des traits blanc cassé dans le ciel laisse entrevoir le fond vierge par endroits qui s'intègre aux troncs d'arbres au premier plan. Pour que l'apparence des troncs soit crédible, il est nécessaire de faire quelques contrastes intenses avec un pastel noir. Cette étape est très importante. On intervient directement sur le sol avec les couleurs froides et les traits se superposent au fond préalablement fondu. Si l'on observe attentivement la partie des branches, on voit qu'elles se superposent avec des traits dessinés sur une base estompée.

6. Entre les branches, on fait vibrer quelques touches de jaune de Naples, un apport de lumière grâce auquel les bleus vibrent encore plus à cause des contrastes des couleurs complémentaires. Avec le pastel noir, on apporte la dernière touche à la finition de quelques branches du premier plan sur lesquelles on pourra également ajouter quelques traits de bleu.

> Il faut essayer de varier les couleurs même s'il s'agit de travailler à partir d'une certaine gamme chromatique, car les couleurs d'autres gammes renforcent la luminosité des teintes de la gamme utilisée.

7. *La fin de cet exercice est assez subtil. Les détails des arbres du premier plan se superposent sur ceux des arbres des autres plans et c'est là que la différence de contrastes met la forme en évidence. Les points les plus lumineux correspondant à la neige sur les branches sont peints avec du blanc pur, tandis que la partie sèche de l'arbre est faite avec du noir ou du gris. Ces tons rendent la neige encore plus lumineuse. Enfin, on achèvera de nuancer les arbres les plus éloignés avec quelques touches de bleu.*

SCHÉMA-RÉSUMÉ

Le croquis de départ est réalisé avec une couleur très claire qui ressort énormément sur le fond.

Les points les plus lumineux, correspondant à la neige sur les branches, sont peints avec du blanc pur.

La zone inférieure, correspondant au sol, est peinte en blanc et en bleu dans un tracé vertical qui forme deux bandes clairement définies, fondues ensuite avec le bout des doigts.

Avec un blanc cassé, on trace des traits verticaux sur la zone qui correspond à la partie visible du ciel qui se découpe entre les branches d'arbres.

En arrière-plan, on utilise une terre verte et les couleurs sont légèrement fondues avec les doigts.

Avec du noir, on renforce les troncs d'arbres et on met en contraste les zones les moins éclairées.

5 La mise en place et les aplats

LA MISE EN PLACE À BASE DE LIGNES

La mise en place d'un tableau est uniquement composée des lignes indispensables à l'établissement de la structure principale. Par exemple, s'il s'agit de traiter des fleurs, les premières lignes ne transcriront pas les détails mais le rapport entre l'ensemble et son environnement ainsi que la situation des éléments les plus importants et l'emplacement des zones d'ombre et de lumière. Les premières lignes servent seulement de base au travail ultérieur, beaucoup plus élaboré.

Pour bien peindre dans un cadre, il est nécessaire de commencer à envisager la composition correctement. Dans cette étude, nous allons particulièrement insister sur la construction de la trame. Il est très important d'apprendre tout le processus qui va suivre. S'il est respecté systématiquement, tout le développement du tableau sera beaucoup plus facile et le résultat final plus satisfaisant.

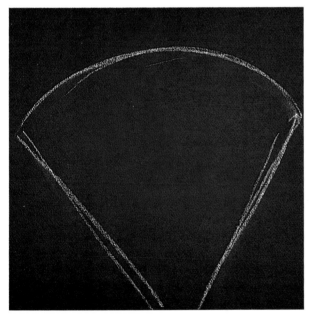

▼ 1. *Tout pastelliste peut réaliser sans problème un schéma aussi simple que celui-ci. La figure représentée sur la photo n'est qu'un cadre dans lequel on placera les différents éléments du bouquet qui seront développés plus tard dans leurs moindres détails.*

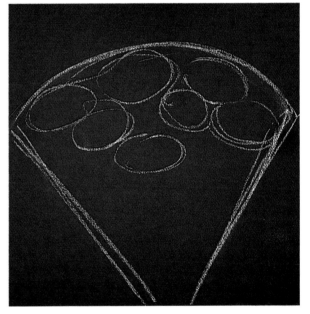

▼ 2. *Quand la structure de base du tableau est complètement posée, le dessin peut être effectué de façon beaucoup plus précise. Cette méthode de travail aidera l'artiste à comprendre n'importe quel modèle, aussi complexe soit-il. Plus il acquerra d'expérience, plus l'apprenti pastelliste pourra se passer de ces étapes préliminaires à l'élaboration de l'œuvre à proprement parler.*

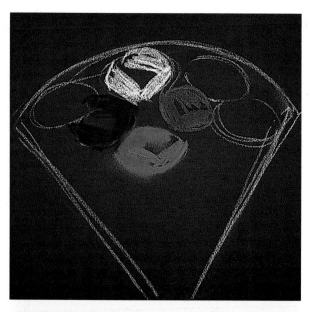

L'APPLICATION DES PREMIÈRES TOUCHES DE COULEUR

Le croquis de départ une fois terminé, on commence à appliquer de la couleur. On doit d'abord supprimer les lignes supplémentaires qui ont été utilisées dans la construction de la nature morte. Selon la façon de travailler le tableau, on peut soit effacer complètement ces lignes, soit les recouvrir avec de nouvelles couleurs. Cette première étape achevée, on peut la fixer avec un fixatif, sans oublier toutefois que ce que l'on fixe ne pourra plus être effacé.

▶ **1.** *On applique les premières couleurs des fleurs avec le chant d'un pastel. La couleur du fond s'intègre parfaitement aux autres comme si c'était une couleur de plus de l'ensemble.*

▼ **2.** *Le pastel peut être fondu ou appliqué directement. Dans les deux cas, il faut bien maîtriser son application. Les zones fondues peuvent recevoir des traits incisifs par la suite. Sur les premiers aplats de couleur, on peut également tracer des lignes pour définir les contrastes. Avec une gomme, on nettoie les traits qui dépassent sur le contour des fleurs.*

▼ **3.** *Etant donné que l'artiste possédera difficilement toutes les couleurs disponibles sur le marché, il pourra, comme c'est couramment le cas, utiliser un pastel noir pour obtenir certaines gammes de tons. Observez ici le large éventail de tons que l'on peut obtenir avec le noir. Il faut savoir cependant, qu'en le fondant sur les autres couleurs, on perd en partie la présence du trait.*

NUANCER LES COULEURS SANS LES MÉLANGER

La palette de couleurs dont dispose l'artiste est son coffret de pastel. Sa gamme de couleurs est donc limitée aux teintes qu'il contient. Ne pas mélanger les couleurs des pastels est un point très important, car on risque d'altérer leur teinte. Dès les premières applications, le pastelliste aura besoin d'un nombre toujours croissant de couleurs pour enrichir le chromatisme du tableau.

1. Dans la technique du pastel, plus que dans aucune autre, la nuance de la couleur présente un intérêt fondamental. Il s'agit ici d'un exercice simple dans lequel on mesurera l'importance des différents tons pastel et on verra à quel point il est inutile de faire des mélanges pour obtenir tout un éventail de coloris. Il faut d'abord appliquer la couleur qui va servir de base, puis sur cette première couche, on réalise un dégradé avec trois tons différents.

2. Sur la base des tons tracés sur le papier de couleur, on passe délicatement le bout des doigts pour fondre les trois couleurs. Ce fondu ne sert pas à mélanger les couleurs mais permet d'obtenir une base tonale sur laquelle on appliquera ensuite des traits et des nuances directement. Quand on fond les couleurs, il faut faire attention de ne pas altérer leur pureté et de ne toucher que les bords de chaque zone de couleur.

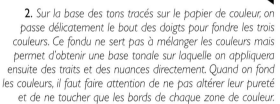

> Comme il est impossible de posséder toutes les couleurs de pastel, la fusion des couleurs avec du noir est une bonne solution pour varier les tons et élargir une gamme de couleurs.

3. *La première base de couleur permet d'ajouter de nouveaux tons. Cette fois, on utilise l'extrémité du pastel pour tracer des traits directs qui se superposent au dégradé antérieur. L'effet produit sera l'un des plus intéressants à développer dans la technique du pastel. Les traits suivants sont tracés directement et, comme on peut le voir dans cet exemple, on emploie des tons différents pour faire ressortir les différents plans.*

COMMENT NE PAS SALIR LE TABLEAU

Le pastel peut toujours être altéré avec le doigt, ce qui présente certains avantages, mais aussi des inconvénients, à savoir que le tableau peut être taché involontairement. Dans les premières étapes du travail, cela n'a pas grande importance, mais à mesure que l'on avance dans la peinture, ces accidents peuvent faire perdre des heures de travail. Pour les éviter, on peut recourir à plusieurs moyens très faciles à mettre en œuvre.

▶ *L'un des moyens les plus courants et les plus sûrs est l'application d'un fixatif à un stade peu avancé du travail. Avec une légère vaporisation, on évitera que les premières couches de couleur se désagrègent en y passant les doigts ou en y superposant une nouvelle plage de couleur. Ceci dit, ce moyen doit être utilisé uniquement dans les premières phases de la peinture.*

▶ *En peinture au pastel, il semble inévitable de tacher le tableau quand on déplace sa main. C'est d'autant plus vrai quand on travaille avec un grand nombre de couleurs. Néanmoins, il est facile de remédier à cet inconvénient en plaçant une simple feuille de papier propre entre la main et le tableau. On doit faire attention de ne pas faire glisser ce papier sur la peinture. Ce moyen simple permettra de ne pas la tacher involontairement.*

▶ *En utilisant un papier propre sous la main, on peut peindre en s'appuyant sur le support sans risquer de brouiller les zones sur lesquelles a été appliquée de la couleur. Si l'on utilise systématiquement un papier de protection, on devra en changer autant de fois que nécessaire pour éviter que les couleurs lumineuses ne se salissent.*

Des fleurs

Dans toute technique de peinture, la mise en place est toujours un point clé. Aussi curieux que cela puisse paraître, il suffit de quelques lignes très simples pour mettre en place la structure de l'œuvre d'art la plus élaborée. Le pastel facilite cette élaboration progressive du tableau, car l'esquisse peut être rectifiée au fur et à mesure, de même que l'application de la couleur. Dans l'étude suivante, on s'exercera à la peinture de fleurs à partir d'une mise en place simple.

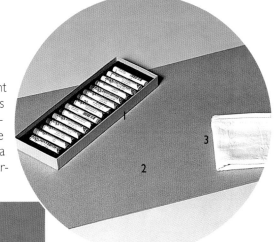

MATÉRIEL NÉCESSAIRE
Pastels (1), papier gris (2) et chiffon (3).

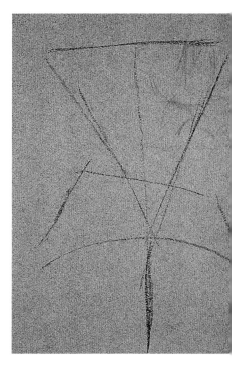

1. Pour élaborer la mise en place, pas besoin d'être un virtuose. Il suffit de quelques traits qui s'organisent pour former des éléments presque géométriques. À partir de ces formes élémentaires, on pourra réaliser une construction beaucoup plus précise.

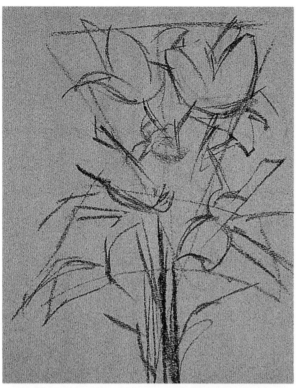

2. *Avec le même pastel que celui que l'on a utilisé pour la mise en place, on affine l'élaboration du croquis. Les formes sont définies beaucoup plus facilement grâce aux traits du schéma de départ qui servent de guide aux autres lignes plus concises. Un dessin tout à fait exact n'est pas nécessaire, car l'opacité du pastel permet de retravailler l'ensemble en permanence.*

3. *On commence à peindre le fond en gris pour faire ressortir la forme des fleurs du haut du tableau et on couvre les lignes du croquis. On commence à appliquer de la couleur sur les fleurs du haut : du orange sur les pétales les plus foncés et un ton très lumineux sur les plus clairs. Avec du blanc, on met en relief les tons les plus éclatants des fleurs du centre, sans toutefois couvrir complètement le fond.*

4. *Avec du gris et du bleu, on finit de peindre le fond et on commence à fondre les traits avec le bout des doigts. On continue à colorer les fleurs de la partie supérieure du tableau avec du orange et on laisse des zones en réserve pour faire transparaître la couleur du papier. Avec un pastel jaune, on fait des impacts de couleur continus pour amorcer la texture des petites fleurs. On emploie pour cela deux jaunes différents. Les tiges des fleurs sont rehaussées avec du noir sur lequel on commence à appliquer différentes tonalités de vert.*

5. On vient de fondre le fond avec de nouveaux tons de gris. Toute cette zone devient uniforme quand on la fond avec le bout des doigts, sans toutefois que cela n'interfère avec les fleurs. Sur les jaunes fondus auparavant dans le fond, on ajoute plusieurs touches de couleur, le jaune leur servant de base. Les fleurs blanches, elles aussi, sont fondues délicatement sans éliminer complètement la couleur du papier.

6. À présent, les premiers aplats sont terminés et tous les apports de couleur à venir serviront à définir et à mettre certaines formes en relief, comme, par exemple, celles des tiges. Comme on peut le constater, l'opacité du pastel permet de superposer des tons bleu lumineux sur un fond noir.

7. Sur les aplats des fleurs du haut de la composition, on effectue de nouveaux traits qui combinent différentes couleurs sans les fondre. Les éclats de lumière sont appliqués directement, sans intervenir avec les doigts.

8. *On vient de peindre les tiges des fleurs avec une grande variété de tons et de couleurs vertes. Les tons foncés de cette zone sont une base idéale pour représenter la profondeur des ombres. On vient de mettre les fleurs blanches en relief grâce aux tons et aux couleurs sombres qui les entourent. Enfin, on complète les nombreux impacts de jaune que l'on fond sur les précédents et sur les tons fondus du fond.*

SCHÉMA-RÉSUMÉ

Le schéma de départ est complètement géométrique de sorte que l'on peut envisager l'ensemble de la composition sans entrer dans le détail.

Les aplats de couleur sur les fleurs du haut du tableau sont très génériques. On n'applique que deux couleurs.

Les fleurs blanches sont mises en relief par les tons qui les entourent.

Sur le noir initial des tiges, on peint avec des verts lumineux.

6 L'estompage et le trait direct

LA SÉPARATION DES COULEURS

La peinture n'est pas une question de trucages mais seulement de correcte utilisation des moyens d'expression. Dans cette étude, on présentera plusieurs exemples qui mettent en évidence les principales utilisations du pastel, à savoir, comment et quand les utiliser. Certaines zones doivent contenir des tonalités fondues ; d'autres, à l'inverse, des éléments complètement linéaires formés par des traits et des aplats non fondus.

L'une des techniques les plus utilisées dans le pastel est le fondu des tons, que l'on obtient en frottant avec les doigts la surface peinte du papier. Le pastelliste amateur doit apprendre à utiliser chaque procédé au bon moment. Par méconnaissance de la technique, certains élaborent l'œuvre à partir d'un travail complètement fondu, ce qui supprime l'éclat du trait. D'autres préfèrent tracer abondamment, jusqu'à faire de l'œuvre un agglomérat de traits. Dans cette étude, on traitera chacune des possibilités et son utilisation appropriée.

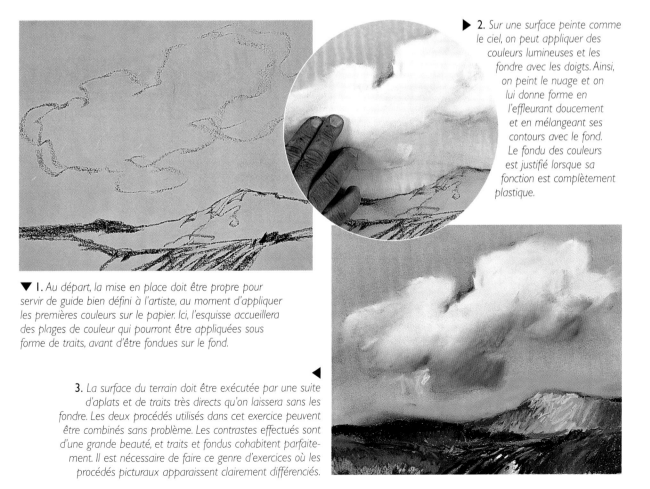

▶ *2. Sur une surface peinte comme le ciel, on peut appliquer des couleurs lumineuses et les fondre avec les doigts. Ainsi, on peint le nuage et on lui donne forme en l'effleurant doucement et en mélangeant ses contours avec le fond. Le fondu des couleurs est justifié lorsque sa fonction est complètement plastique.*

▼ *1. Au départ, la mise en place doit être propre pour servir de guide bien défini à l'artiste, au moment d'appliquer les premières couleurs sur le papier. Ici, l'esquisse accueillera des plages de couleur qui pourront être appliquées sous forme de traits, avant d'être fondues sur le fond.*

3. La surface du terrain doit être exécutée par une suite d'aplats et de traits très directs qu'on laissera sans les fondre. Les deux procédés utilisés dans cet exercice peuvent être combinés sans problème. Les contrastes effectués sont d'une grande beauté, et traits et fondus cohabitent parfaitement. Il est nécessaire de faire ce genre d'exercices où les procédés picturaux apparaissent clairement différenciés.

LE TRAIT DIRECT

Dans la partie précédente, on a pu étudier un premier exercice au cours duquel on a pratiqué, sur des zones différentes, les procédés de l'estompage et du trait direct. Ces deux manières de travailler peuvent se combiner pour renforcer toutes les caractéristiques du pastel. Sur cette page, on propose de combiner ces deux méthodes de dessin.

▶ **1.** *Quand on peint au pastel, on peut choisir de laisser le trait tel quel ou de l'étendre sur le papier avec les doigts. La surface de couleur étendue avec le bout des doigts permet de modeler des formes comme celle qui servira à élaborer le haut de l'arbre. D'abord on applique du pastel, et ensuite on l'étend avec les doigts jusqu'à le fondre avec le fond. Le fondu manque de précision sur ses contours.*

▼ **2.** *Sur la base de la couleur estompée, on applique des traits directs. Ces aplats font ressortir les formes précédentes et affinent en négatif le contour définitif de l'arbre. On peut voir les couleurs du début à travers les espaces laissés par ces nouvelles plages de couleurs. L'un des procédés les plus intéressants du pastel est l'empâtement, il s'agit d'une couche de couleur obtenue en appuyant fortement sur le papier avec le pastel.*

▼ **3.** *Une fois les branches esquissées, on exécute la même opération sur le reste du tableau. La superposition de couches de couleur est un des moyens que l'on utilisera dorénavant le plus, avec les estompages et les traits directs, qui sont beaucoup plus éclatants et spontanés.*

1. *Avant de commencer les contrastes du paysage, il est important de distinguer à travers le dessin chacune des zones du modèle. Sinon les couleurs finiront par se mélanger, ce qui ne se fait pas avec le pastel.*

LES CONTRASTES SIMULTANÉS

S ous ce titre complexe se cache une technique commune à tous les procédés de dessin et de peinture, qui renvoie à un jeu optique entre les tons et les couleurs. En réalité, ce concept suit les lois optiques et le fonctionnement de l'œil humain. En effet, quand on insère une tonalité lumineuse entre des tons sombres, celle-ci apparaît beaucoup plus claire, précisément par effet de contraste. Le même phénomène intervient quand, entre des tons très clairs, on insère un ton foncé ; ce dernier semblera plus dense. Dans cet exemple, on pourra pratiquer un tel effet visuel.

2. *Une fois terminée l'esquisse initiale, on réalise les aplats en tenant compte des contrastes que l'on voudra obtenir. Dans cet exemple, le point de lumière maximale est centré sur la petite maison du paysage. On appliquera d'autres couleurs et des tons plus sombres et contrastés afin d'augmenter la luminosité de la construction.*

Dans la technique du pastel, le ton du papier est très important par rapport à l'application d'autres couleurs. Les tons sombres appliqués sur des papiers foncés paraissent plus clairs qu'ils ne le sont réellement.

3. *Bien que le blanc de la maison soit le ton le plus lumineux, il n'est pas nécessaire non plus de l'appliquer complètement pur, on peut le combiner avec d'autres tons brillants comme le jaune de Naples. Le contraste provoqué par les tons plus sombres autour de cette zone augmente la luminosité du point de lumière.*

LES ÉPREUVES SUR PAPIER

Les deux procédés présentés dans l'exercice suivant s'organisent à partir d'un même sujet traité sur des papiers de couleurs différentes. Les pastels utilisés pour ces deux têtes de chevaux sont les mêmes afin de montrer l'influence du ton de chaque papier. Dans cet exercice, il est important de tenir compte de la valeur des tons employés sur le fond en couleur. Chaque papier de couleur répond de manière différente à l'estompage, bien que les couleurs employées soient les mêmes.

▶ *Le papier employé pour cette première tête est gris. Sur ce papier, les couleurs ressortent avec une grande luminosité, car le gris est considéré comme un ton neutre qui n'altère pas les autres tons, excepté les contrastes simultanés qui peuvent apparaître avec des tons plus clairs. La couleur du fond transparaît parfaitement à travers l'estompage initial, sur lequel on trace des traits énergiques et directs, qui s'intègrent parfaitement au fond.*

▼ *Cet exercice est similaire au précédent, mais le papier utilisé ici est rouge. Comme on peut le voir, les contrastes des couleurs sombres se détachent fortement sur le ton du papier et les couleurs claires transparaissent avec un grand naturel.*

▼ *Le papier de couleur crème est l'un de ceux qui permettent d'obtenir les couleurs les plus naturelles, puisque ce ton de papier ne rend pas les contrastes obligatoires.*

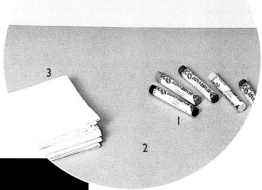

pas à pas
Un pain

Un simple pain peut être un bon modèle de mise en pratique des diverses techniques picturales, telles que celles abordées dans ce chapitre. Le choix du modèle est toujours important mais il ne doit pas être un critère qui conditionne la peinture. Parfois, le pastelliste amateur aura du mal à trouver des modèles intéressants. En réalité, l'objet le plus humble peut être un sujet absolument valable. Dans un tableau, n'importe quel objet bien traité a une dimension nouvelle et est digne d'être observé.

MATÉRIEL NÉCESSAIRE

Pastels (1), papier gris (2) et chiffon (3).

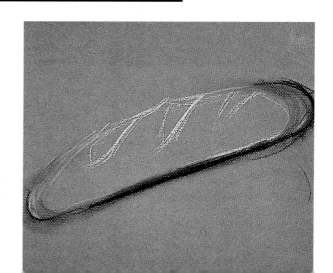

1. *On commence la composition avec une couleur lumineuse qui se détache fortement du papier. Une fois le dessin corrigé, on réalise un premier contraste avec du pastel noir. Le trait suit la ligne inférieure du pain pour assurer sa forme définitive.*

2. Avec du pastel noir, on assombrit fortement le fond, de façon que la forme du pain ressorte bien. On passe le bout des doigts sur tout le fond. On réalise l'intérieur du pain avec du jaune doré. Observez le caractère du trait : chaque groupe de traits suit la forme du plan. Sur ces traits qui viennent d'être dessinés, on exécute les premiers contrastes en rouge en les fondant doucement avec les doigts, mais pas complètement.

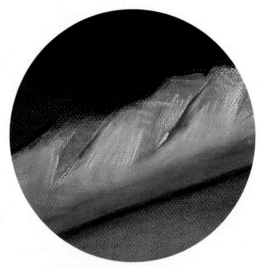

4. Sur ce détail, on peut voir l'importance qu'il y a à laisser certaines zones du dessin fraîches et intactes. Ceci est la clé de la peinture au pastel. Tandis que certains traits sont fondus presque complètement, d'autres restent intacts tout au long de l'élaboration de l'œuvre.

3. On assombrit complètement le fond dans sa partie supérieure, sans toucher à la zone interne du pain. De cette façon, le contraste est absolu. Dans la zone inférieure, on fond la couleur sombre et on y ajoute du bleu. On réalise l'ombre du pain avec un ton sombre, mais sans remplir complètement cette zone. Le travail avec les doigts facilite la répartition de l'ombre sur les tons inférieurs.

5. *On fait contraster tout le fond avec le pain par une fusion complète de tous les tons employés. Pour obtenir certaines nuances de luminosité, surtout au premier plan, on trace au préalable un trait de couleur bleu lumineux. On commence à tracer de nouveaux traits sur la surface fondue du pain, de façon que la couleur du dessous transparaisse. Cette fois-ci, la couleur employée est un ocre orangé très clair qui se détache par sa pureté sur les tons fondus des ombres.*

Dans la réalisation des contrastes maximaux, on doit essayer de ne pas employer de couleurs extrêmes comme le blanc et le noir, au moins au début. De cette façon, on pourra mieux jouer avec les différentes gradations à l'intérieur d'une même couleur.

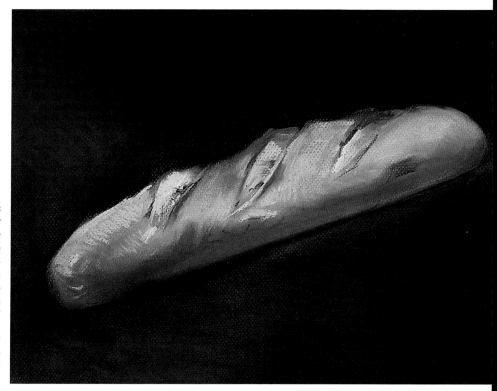

6. *Les couleurs fondues entre elles produisent des tonalités salies par le mélange. Pour remédier au manque de luminosité, on peint à nouveau avec du bleu sur le premier plan du fond ; cette fois-ci la zone se charge de nuances. De même, on applique sur le pain des aplats directs de jaune, qui donnent de la luminosité à ces zones. On applique aussi quelques touches de vert émeraude très lumineux, qui enrichissent la texture du pain.*

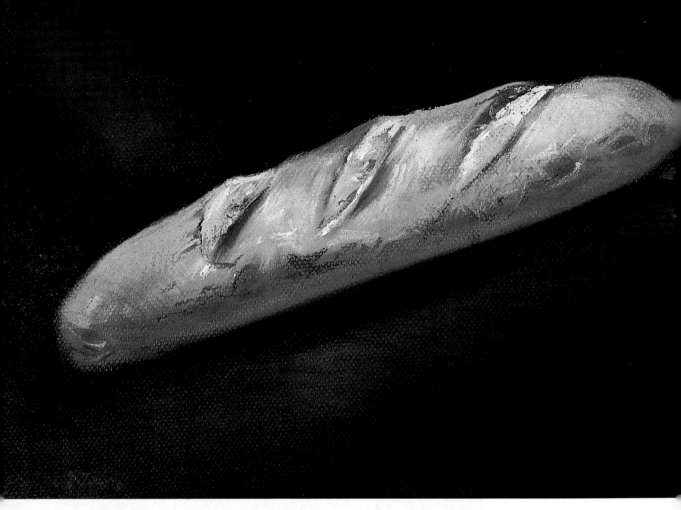

7. On peint la table en bleu cobalt, avec un tracé très direct qui sature l'ombre la plus lumineuse et augmente le contraste des couleurs sombres. La zone supérieure du fond, colorée en carmin violacé, se détache beaucoup plus par effet de contraste entre les tons. Pour finir, on donne quelques impacts très lumineux sur la croûte plus dure, ce qui contribue à rendre l'aspect farineux du pain sorti du four.

SCHÉMA-RÉSUMÉ

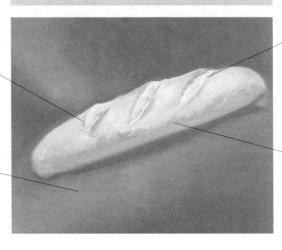

Tandis que l'on fond certains traits presque entièrement, d'autres restent intacts durant tout le processus de la peinture.

On applique les traits les plus lumineux en dernier, sans les fondre.

Sur la zone inférieure, on estompe la couleur sombre, puis on applique du bleu sur celle-ci.

Les couleurs fondues entre elles produisent des tonalités salies dues au mélange, ce qui est nécessaire dans certaines zones.

Le fond et le motif

UNE INTERVENTION SIMPLE

L e motif principal du dessin n'est pas toujours entouré par des formes. On le représente souvent sur un fond complètement lisse ou sur un dégradé. Cependant, on peut considérer que le fond est incomplet quand les éléments principaux sont mal situés à l'intérieur du tableau ou quand on note un déséquilibre. On peut résoudre ce problème simplement en corrigeant le fond. Le pastel permet d'agir rapidement et facilite une bonne correction.

Dans toutes les techniques de peinture se pose un problème pour les débutants quand ils affrontent l'un des aspects les plus importants d'une composition : la différence entre le fond et le motif. Ce n'est pas la même chose de représenter l'objet directement sur le papier que de le faire sur un fond, qu'il soit uniforme ou qu'il présente des formes ou des couleurs. Même si on ne peint aucun fond, la couleur du papier constitue en elle-même un fond et exerce une influence décisive sur les éléments principaux de la composition. Dans cette étude, on abordera les différentes manières de traiter cette intéressante dichotomie.

▼ I. *Les fruits qui composent cette nature morte ont été mis en place puis développés sur un fond neutre. Cependant, la relation de ces éléments avec l'ensemble se perd dans l'espace qui entoure les éléments principaux. Il ne s'agit pas d'une mauvaise utilisation de la technique du pastel, mais plutôt d'un mauvais rapport entre le fond et le motif.*

▼ 2. *Il n'est pas trop difficile de corriger l'équilibre entre le fond et le motif. Quelques interventions, comme les ombres et le tracé d'une diagonale au premier plan, permettent à l'ensemble de gagner en dynamisme et en unité. Ce sont ces détails qui passent souvent inaperçus pour le pastelliste amateur. Néanmoins, si on se livre à des exercices comme celui-ci, l'équilibre entre fond et motif apparaîtra tout naturellement. On observe ce même exercice de correction du fond dans beaucoup de chefs-d'œuvre des grands maîtres.*

LA GRANDE PALETTE DU PASTEL

Il existe de nombreux moyens pour équilibrer le fond et le motif. La couleur en est un, très riche et spontané et avec lequel on obtient un changement très rapide de l'ensemble par une intervention immédiate sur le fond. L'exercice proposé dans cette page est une expérience qui permet de découvrir comment on peut modifier une forme en changeant uniquement la couleur.

▶ **1.** *Le dessin de la fleur est très important, indépendamment de la couleur utilisée. Après une esquisse correcte, on applique sur la fleur des tonalités jaunes. Toutes les interventions sur le fond influenceront les contrastes de l'œuvre. Pour commencer, une fois la fleur dessinée, on s'attaque au fond avec des variations de jaune. Le contraste entre fond et motif est minime, mais il existe une grande harmonie de lumière et de couleur.*

▶ **2.** *Sur ce même exemple, on intervient avec une tonalité ocre, afin que le fond se détache un peu du motif principal de la composition. Sur quelques zones, on laisse le jaune utilisé précédemment. Ainsi, le contraste des formes est plus intense que dans l'exemple précédent. Il est important que la couleur du papier, ou, dans le cas présent, celle du fond auparavant coloré, transparaisse à travers les nouveaux traits. Ceci donnera de l'unité à l'ensemble, ainsi qu'une valeur très appréciée en peinture : une atmosphère.*

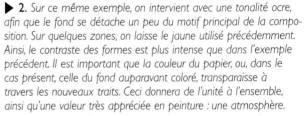

Quand on parle de fond et de motif, on fait référence aux rapports entre les éléments principaux du dessin et ceux qui les entourent.

▶ **3.** *On peint tout le fond avec une couleur terre de Sienne foncée, qui permet un vif contraste entre le fond et le motif principal. Il n'est pas nécessaire de couvrir entièrement le papier : ainsi, il y a plus de profondeur et la fleur se détachera sur deux surfaces. En revoyant cet exercice, on pourra apprécier la manière dont chacune des interventions réalisées sur le fond se répercute sur les tons des ombres de la fleur.*

LA SUPERPOSITION ET LA FUSION

En plus des procédés simples de traitement du fond et du motif en pastel, il en existe beaucoup d'autres qui permettent des effets très spectaculaires, à partir des techniques de superposition et de fusion des tons. De cette façon, il est possible de séparer le fond du motif à l'aide de points de cadrage visuel, en prêtant plus d'attention aux zones sensibles. Cet exercice est très intéressant pour apprendre comment l'empreinte du pastel peut mettre en valeur le centre d'intérêt d'une œuvre.

◄ *1. Une composition simple avec seulement deux éléments principaux sur un fond qui permet de les rehausser. La peinture du fond fait ressortir les éléments principaux. Le trait est assez visible, il a été exécuté de manière très régulière.*

▼ *2. Une façon d'affirmer la présence des éléments principaux par rapport au fond est de fondre les traits qui composent celui-ci. On doit faire très attention à ne pas déformer le dessin des éléments en frottant les doigts sur le papier.*

▼ *3. Après la fusion du fond, on peut enrichir la composition de nouveaux éléments, dessinés et peints avec des tonalités plus lumineuses. Le ton du fond sert de base à la couleur des fruits. C'est pourquoi leur luminosité pourrait être affectée par la couleur du papier.*

LA CONCRÉTISATION DES FORMES

Dans cet exercice, on peut voir comment on intervient avec de nouveaux éléments dont la couleur s'intègre parfaitement sur un fond déjà coloré. On peut accentuer la présence des nouvelles formes en altérant à nouveau le fond qui les entour. Observez aussi de quelle manière le fond peut aider à définir les différents éléments selon le plan qu'ils occupent.

▶ **4.** *Les fruits peints en arrière-plan ont une certaine importance mais ne sont pas suffisamment contrastés sur la couleur de base. On obtient donc ce contraste en fonçant simplement le fond. On réalise le tracé de la même manière que dans la première intervention, avec cette différence que, maintenant, la couleur du fond peut être employée comme une tonalité qui transparaît à travers les nouveaux contrastes. En fonçant tout l'arrière-plan, le tableau acquiert une grande luminosité, même pour les éléments les plus récents.*

▼ **5.** *Pour séparer les différents plans de la nature morte, on intègre tous les éléments de l'arrière-plan dans le fond foncé. Pour ce faire, il suffit de fondre doucement la forme des nouveaux éléments. Il ne s'agit pas de mélanger les couleurs, mais de fondre le contour des fruits.*

▼ **6.** *Les éclats et les rehauts apportent la luminosité nécessaire à l'ensemble. Au premier plan, les éclats peuvent être réalisés d'une manière beaucoup plus directe ; au second plan, ils doivent être beaucoup moins définis.*

pas à pas
Les plans du paysage

Le sujet que l'on va aborder ici est un paysage de montagne, avec des arbres et différents types de végétation. En plus du sujet lui-même, on mettra en lumière l'un des points les plus intéressants de la peinture : le rapport entre fond et motif. Dans cet exercice, il est important de donner sa juste valeur à chaque zone, ce que ne font pas beaucoup de pastellistes amateurs. Le rapport entre le motif ou élément principal et le fond se transforme en un échange de couleurs, de tons et de contrastes d'une zone à l'autre, procédé particulièrement facilité par la technique du pastel.

MATÉRIEL NÉCESSAIRE
Pastels (1), papier de couleur vert foncé (2) et chiffon (3).

1. *Les éléments principaux du paysage sont dessinés et composés avec un pastel noir. Cette couleur permet d'obtenir un bon contraste, quelle que soit la couleur de base. À ce stade du dessin, on peut déjà établir les priorités entre fond et motif. Observez comment, sur l'arbre principal, on intervient avec un contraste qui le distingue parfaitement des autres éléments de la composition.*

2. *On doit séparer les plans principaux pour mettre en évidence la situation de chacun des plans. Pour ce faire, on commencera d'abord à réaliser le plan le plus éloigné, c'est-à-dire le ciel. Dans cette zone, on traite encore du rapport de ce plan avec le fond, puisqu'on n'applique pas une seule couleur, mais qu'on effectue des variations de tons qui influencent les contrastes entre les éléments du premier plan et le fond.*

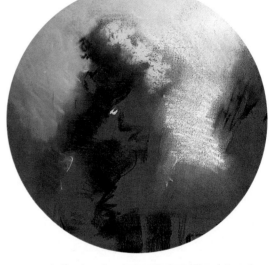

3. *Tout le fond est fondu avec le bout des doigts. Les tons appliqués sur celui-ci s'unifient et créent une intéressante masse de couleurs claires et foncées. Observez comment la couleur uniforme du papier varie selon les tons qui l'entourent. Dans les zones où le ciel est blanc, le vert du papier devient foncé par effet de contraste simultané. En revanche, dans les zones où le bleu est plus foncé, le contraste par rapport au vert apparaît beaucoup plus équilibré.*

4. *Comme on l'a présenté à l'étape précédente, les points lumineux du premier plan facilitent l'équilibre des tons du fond, en l'occurrence, le plan du ciel. On continue à peindre la zone lumineuse des arbres en appuyant suffisamment pour que les tons s'agglutinent et couvrent entièrement la couleur du fond. Observez comment, dans cette zone, on permet l'intervention de la couleur du papier comme ton supplémentaire de la gamme.*

5. On continue à peindre les principales zones lumineuses du paysage. Ce faisant, la couleur même du papier pourra être intégrée comme un ton foncé parfaitement défini. Pour représenter les tons moyens du paysage, on cherchera des variations tonales à partir de la couleur du papier. Après avoir situé ces tons moyens, on établit un nouveau rapport entre le fond et le motif. En apportant de nouveaux tons sur chacun des plans principaux, on crée un nouvel espace qui sépare le plan le plus éloigné du premier plan.

Le rapport entre le motif, ou élément principal, et le fond se transforme en un échange de couleurs, de tons et de contrastes d'une zone à l'autre.

6. En appliquant les contrastes les plus foncés, on produit un changement important par rapport à l'étape précédente. Les applications de pastel noir, à droite, permettent de voir parfaitement, dans certaines zones, la couleur du papier. Dans d'autres zones, la fusion de ces tons foncés facilite l'intégration de la couleur du papier aux couleurs des pastels. Dans le plan principal, un bleu grisé permet de placer toute une zone d'ombre. Ce ton servira de base chromatique définitive pour l'étape finale.

7. *Dans la technique du pastel, les mélanges n'existant pas, chaque couleur appliquée vient directement du coffret. Il est probable que dans les gammes de pastels de nombreux pastellistes amateurs, certaines couleurs spécifiées dans l'exercice ne figurent pas, mais cela n'a pas d'importance, car on peut toujours en utiliser d'autres. Avec du vert clair, on représente les zones lumineuses de la pelouse. On peint les ombres du premier plan avec des bleus foncés et des gris. Pour finir, on applique les touches de luminosité sur l'arbre principal avec des impacts directs de pastel. De cette manière, tous les arbres s'intègrent dans le ciel.*

SCHÉMA-RÉSUMÉ

La peinture du ciel permet de déterminer les plans du paysage. Les tons bleus devront être équilibrés par ceux qui sont appliqués sur le reste du tableau.

Les éclats des arbres s'équilibrent avec différents points de lumière du ciel.

Des impacts directs de bleu clair intègrent le fond au motif.

La couleur du papier transparaît à travers les aplats et les traits, en s'intégrant à l'ensemble comme une couleur supplémentaire.

8 Les contrastes et les couleurs

LES DÉGRADÉS

La principale qualité du pastel est de pouvoir faire des dégradés qui consistent en un passage progressif d'un ton vers un autre. Au cours des chapitres précédents, on a pratiqué divers types de dégradés. Dans cette étude, on travaillera le dégradé et les contrastes que permettent les couleurs. Les dégradés servent à élaborer une suite de tons que l'on enchaîne pour, ensuite, les fondre.

> Il n'y a rien de mieux qu'une bonne utilisation du pastel pour obtenir tout type d'effets de fondus. Mais on ne doit pas confondre fusion des couleurs et mélange, puisque celui-ci ne se pratique pas au pastel. Les fondus font partie de la technique picturale du pastel. Ils rendent possible le modelage des formes. D'un autre côté, l'absence de fondus permet de juxtaposer des couleurs qui agissent comme des plans contrastés.

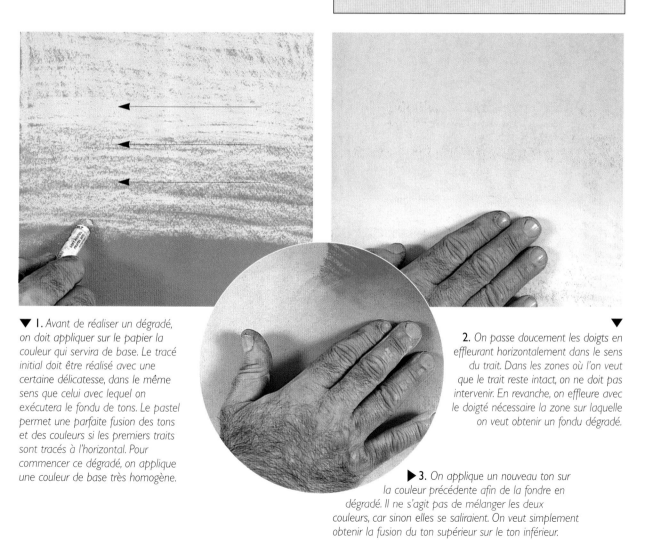

▼ 1. *Avant de réaliser un dégradé, on doit appliquer sur le papier la couleur qui servira de base. Le tracé initial doit être réalisé avec une certaine délicatesse, dans le même sens que celui avec lequel on exécutera le fondu de tons. Le pastel permet une parfaite fusion des tons et des couleurs si les premiers traits sont tracés à l'horizontal. Pour commencer ce dégradé, on applique une couleur de base très homogène.*

2. *On passe doucement les doigts en effleurant horizontalement dans le sens du trait. Dans les zones où l'on veut que le trait reste intact, on ne doit pas intervenir. En revanche, on effleure avec le doigté nécessaire la zone sur laquelle on veut obtenir un fondu dégradé.* ▼

▶ 3. *On applique un nouveau ton sur la couleur précédente afin de la fondre en dégradé. Il ne s'agit pas de mélanger les deux couleurs, car sinon elles se saliraient. On veut simplement obtenir la fusion du ton supérieur sur le ton inférieur.*

LES TONS

Les tons représentent la capacité de gradation d'une même couleur ou d'une même famille de couleurs. Avec le pastel, comme avec d'autres techniques de dessin, on peut obtenir des différences tonales à partir de l'étude de valeur et de fusion d'un ton sur l'autre. Mais, à la différence des autres techniques de dessin, le pastel réussit à être pleinement pictural et à exprimer, à partir du dégradé, tous les concepts plastiques propres à l'aplat et au trait. Dans l'exercice suivant, on propose un travail sur les tons à travers la fusion des tons foncés sur les tons clairs.

▶ 1. *La représentation de fruits dans un même ton relève du dessin, mais dès que la couleur du papier intervient dans le chromatisme général ce dessin prend une valeur picturale. Après application des premiers aplats, les zones du fond s'intègrent à la surface lumineuse.*

▶ 2. *Sur le premier ton jaune, on ajoute un nouveau tracé foncé, qui servira à réaliser l'ombre de la composition. On fondra ensuite cette tonalité avec la première couleur, sans pour autant faire varier l'ensemble des couleurs, puisqu'il n'y aura pas de mélange des couleurs, mais fusion des tonalités chaudes.*

▶ 3. *On couvre entièrement le fond pour obtenir un fort contraste entre les couleurs du premier plan et les autres. On colore la table dans une tonalité orange, complétant ainsi l'ensemble de tons. On réalise la fusion des couleurs avec les doigts, en effleurant un ton sur l'autre. Pour obtenir un dégradé de tons, il convient d'utiliser une gamme de couleurs de la même famille, en l'occurrence, des couleurs chaudes.*

LES CONTRASTES CHROMATIQUES ET LES COULEURS

Les couleurs peuvent se présenter sous deux formes bien différentes. Comme on vient de le voir, la fusion des tons devient facilement un exercice de modelage, mais on peut aussi choisir un autre type de travail. Ici, les contrastes ne résultent pas de la fusion des tons mais directement des couleurs. Ce procédé donne des résultats très coloristes, particulièrement mis en valeur avec le pastel. Dans cet exercice, on réalisera un double travail : le premier part de la fusion des tons, le second du contraste chromatique direct.

Pour vérifier l'effet visuel de certains contrastes, on réalisera une épreuve préalable sur des papiers préparés à cet effet. Quand le papier sur lequel on travaille est blanc, les épreuves peuvent être réalisées sur du papier ordinaire.

▼ 1. *Quel que soit le travail au pastel que l'on veuille réaliser, le dessin de départ a une grande importance quant à la construction du sujet. Ce même type de mise en place servira dans les deux exercices suivants. Il suffit de quelques lignes pour suggérer les formes des deux fruits.*

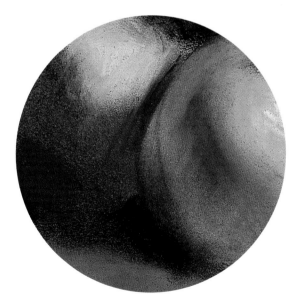

▼ 2. *Sur ce détail agrandi du dessin, on peut apprécier le fondu des tons et la manière dont les tons foncés sont dégradés sur les tons clairs jusqu'à la fusion parfaite. Les ombres apportées et les tons moyens de lumière se fondent doucement sur les couches inférieures. Le contraste obtenu est tonal.*

▼ 3. *Dans l'œuvre achevée, on observe la façon dont les ombres s'intègrent sur les tons les plus lumineux, et comment les tons clairs ne présentent pas un contraste chromatique percutant mais une différence basée sur les contrastes complémentaires ; c'est-à-dire que les tons clairs et les tons foncés se renforcent mutuellement.*

LES CONTRASTES CHROMATIQUES

D ans la première partie de cet exercice, on a étudié la façon dont les tons clairs et les tons foncés peuvent fusionner dans une même gamme tonale. Maintenant, on propose d'interpréter le même sujet que précédemment, mais avec un traitement de la couleur complètement différent. Cette fois-ci le contraste créé n'est pas tonal mais chromatique. Observez attentivement les différents plans et la manière dont les couleurs réagissent les unes par rapport aux autres.

▼ 1. *La mise en place de départ de cet exercice est la même que précédemment. Les premières lignes permettent d'envisager le dessin, indépendamment de son évolution ultérieure. Dans cet exercice, on commence par appliquer, en appuyant beaucoup, des couleurs qui contrastent fortement entre elles. Ce premier tracé est direct et très spontané.*

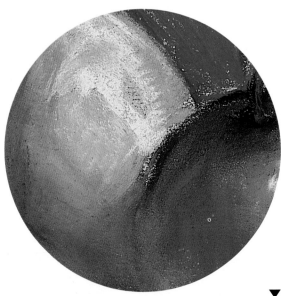

2. *On observe sur ce détail comment, alors que certaines zones fusionnent, d'autres ont une finition fraîche et directe. Les zones fondues en jouxtent d'autres, qui, elles, présentent l'aspect initial du trait, et à travers lesquelles on apprécie le grain du papier et sa couleur.* ▼

▶ 3. *Bien que, dans ce travail, il soit important que les couleurs contrastent fortement, le passage d'une zone tonale à une autre est également essentiel. Cela se manifeste dans le fond, où le bleu le plus lumineux se mélange avec la zone inférieure bleue, beaucoup plus sombre. Il est important que les couleurs de différentes gammes chromatiques n'interfèrent pas entre elles, ou, si c'est le cas, de la façon la plus discrète possible, eu égard au risque qu'elles ne se mélangent, ce qui doit être toujours évité avec le pastel. Un bleu peut se mélanger et se fondre avec une autre couleur froide, mais pas avec une couleur chaude.*

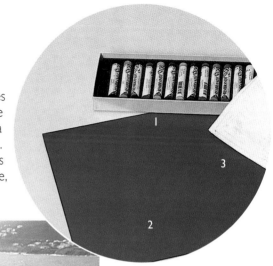

pas à pas
Une marine

Fusion et superposition de tons vont être une constante dans toutes les techniques du pastel. Parfois, on pourra traiter la couleur comme une nébuleuse qui s'étend sur le papier sans limites précises ; d'autres fois, la couleur aura des formes parfaitement délimitées et le trait sera visible. Pour mettre en pratique les techniques de fusion et de superposition des traits, on propose la réalisation d'une marine. C'est un exercice simple, contrairement à ce que pourrait laisser croire le magnifique résultat final.

MATÉRIEL NÉCESSAIRE

Pastels (1),
papier bleu (2)
et chiffon (3).

1. *On dessine le paysage sans avoir besoin de préciser beaucoup le trait, puisque le traitement pictural implique la superposition de couches de couleur opaques. Dans cet exercice, on place une ligne d'horizon très haute pour montrer une grande étendue de mer, espace plus que suffisant pour pratiquer tout type d'exercices de fusion et de superposition de tons.*

2. Ce paysage est élaboré avec une gamme de couleurs froides, c'est-à-dire des verts et des bleus. En utilisant cette gamme limitée, et en tirant parti de la couleur du papier, les contrastes ne seront pas chromatiques mais tonaux. On trace d'abord la petite bande correspondant au ciel. Sur la mer, on applique un bleu lumineux qui contraste avec le papier. La zone où se brisent les vagues est peinte directement avec un blanc dont on atténue immédiatement le trait avec les doigts.

3. On applique une couche de bleu sur le blanc de l'écume dont la couleur constitue une base parfaite pour le fondu. Le bord de l'écume est délimité avec un ton verdâtre. À côté, on applique du bleu et on achève d'estomper les couleurs. À droite, on esquisse les vagues sur la falaise avec des traits incisifs de couleur blanche.

4. À partir de l'horizon, on pratique une fusion de tons bleus outremer, sans couvrir entièrement le papier, pour que sa couleur apparaisse dans certaines zones. On note qu'il existe une nette différence de plans, séparés par la ligne horizontale de l'écume et les rochers de gauche. On peint en blanc, avec des traits directs, toute la partie correspondant au blanc de l'écume.

Il faut réserver les couleurs les plus lumineuses pour les zones les plus éclatantes. On doit réaliser en dernier les éclats et les contrastes les plus forts.

5. *Dans la zone inférieure, là où l'eau se brise contre les rochers, on réalise une fusion du blanc sur le fond. Ensuite, on repasse du pastel blanc, mais cette fois en trait direct. Sur les rochers du premier plan estompés auparavant à partir du noir, on applique des aplats de bleu, qui se fondent doucement sur le ton foncé précédent pour modeler ainsi chaque rocher. Tout au fond, sur la ligne d'horizon, on rehausse les formes ; comme on ne veut pas un trait trop direct, on le fond légèrement avec le doigt.*

Au fond, la base colorée est fondue pour créer une première couche de couleurs sans forme bien définie.

6. *Le trait direct et la fusion sont très utiles pour représenter l'écume. Cette étape n'est pas difficile, mais il faut que la base de couleur blanche s'intègre doucement aux tons bleus du fond. Une fois les différents fondus de tons réalisés, on applique à nouveau des touches de blanc.*

7. *On réalise quelques nouvelles fusions de couleurs, très discrètes, dans la bande intermédiaire entre les deux zones d'écume. On applique très légèrement le chant du pastel sur la partie supérieure de cette zone, en laissant apparaître la* texture du papier. On rehausse les tons foncés des rochers avec l'extrémité du pastel. Il ne reste plus qu'à appliquer quelques traits directs avec le blanc sur la ligne horizontale de l'écume, pour créer des touches lumineuses.

SCHÉMA-RÉSUMÉ

Le plan intermédiaire marque la différence entre les plans du dessin. Sous cette ligne, le travail sera beaucoup plus méticuleux.

Une fois fondus les tons des vagues, quelques traits directs rehaussent la texture et les contrastes.

La première application de blanc est fondue avec le fond aux tons bleus.

Sur les rochers noirs, on applique du bleu.

La fixation du pastel

LA FIXATION DE LA PREMIÈRE COUCHE

On peut fixer les premières couches, à condition qu'elles ne nécessitent pas de nouvelles corrections, ou si on envisage de couvrir entièrement l'œuvre avec de la couleur. Le fixatif en vaporisateur est un bon outil si on l'utilise avec modération et au bon moment. Dans ce premier exercice, on montrera quelques-uns des procédés préalables et postérieurs à la fixation de cette première couche, qui peut être tout simplement l'esquisse avant application de la couleur.

À de nombreuses reprises, on a insisté sur l'importance du pastel en tant que procédé frais et spontané et sur le fait qu'il peut perdre cette spontanéité s'il est fixé. Si la fixation peut avoir une fonction importante dans les premières phases du processus, il faut néanmoins remarquer que la finition ne doit jamais être fixée. Les procédés que l'on présentera dans cette étude permettront une avancée importante dans le pastel et ses possibilités.

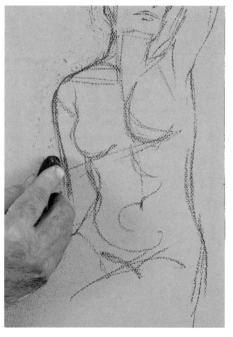

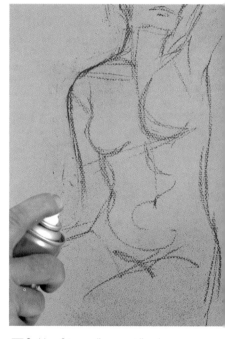

▼ 1. On peut réaliser l'ébauche à l'aide de lignes ou d'aplats que l'on peut parfaitement corriger en les effaçant légèrement ou en y superposant des lignes. Il ne faut pas trop appuyer sur le pastel afin de pouvoir corriger plus facilement sans que le trait ne reste trop marqué sur le papier.

▼ 2. La gomme aide à restituer les lignes définitives, de façon que l'esquisse, bien mieux définie, devienne une structure stable. Une structure initiale bien réalisée est toujours une bonne base pour réussir une œuvre. Les lignes principales doivent être débarrassées de tout trait superflu.

▼ 3. Une fois que l'on considère le dessin comme définitif, on peut le fixer. La distance du fixatif au papier doit être suffisante pour que le produit puisse former une pellicule homogène sans couler. Une fois le dessin fixé on ne pourra plus l'effacer. La seule façon de le corriger sera alors d'appliquer des couleurs par dessus.

▶ 1. *Le fixatif sèche très rapidement et permet une intervention du pastel presque immédiate, mais il est conseillé d'attendre quelques instants pour être sûr qu'il ne reste pas de zones humides. On reconnaît ces zones humides par leur brillance, qui disparaît après séchage.*

On peut réaliser des nouvelles interventions au pastel sur le dessin initial parfaitement fixé. Comme il s'agit ici d'un exercice de corrections et de fixation, on a choisi de présenter dans l'ordre les différents procédés employés à cet effet.

DEUXIÈME COUCHE SUR LE FOND FIXÉ

Le processus de fixation permet de stabiliser le tracé initial, mais aussi certains effets d'aplats ou de couleurs, qui serviront ultérieurement de base à la finition. Les nouvelles corrections que l'on apporte n'affecteront pas les lignes fixées précédemment, puisque celles-ci sont maintenant permanentes.

3. *Grâce à la fixation de la première couche, on peut retravailler les couleurs autant de fois que nécessaire, en appliquant aussi bien des contrastes qui font ressortir le motif principal sur le fond que des impacts lumineux qui soulignent le volume des formes. On peut refaire maintenant le dessin avec des aplats directs et des traits, en laissant transparaître le fond. On ne doit plus maintenant fixer l'ensemble, pour éviter que le trait ne s'empâte.*

▲

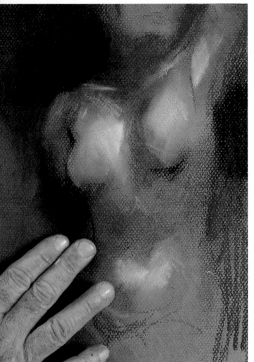

▶ 2. *Quand on fond avec les doigts les nouvelles couches de couleur, le dessin qui a été fixé dans la première partie de l'exercice reste stable et visible. Même si on frotte beaucoup, il ne se fondra plus.*

LES CORRECTIONS ET LA CONSTRUCTION DE LA PEINTURE

Le pastel est riche en possibilités. Avec la couleur et les couches successives de pastel, il est possible de corriger le dessin au fur et à mesure de son élaboration. La fixation du pastel permet de rendre stables des couches entières qui servent de base chromatique à la peinture, sans qu'elles ne se mélangent avec les couches ultérieures, même si elles sont touchées.

1. Comme on a pu l'observer dans l'exercice précédent, on peut fixer l'esquisse de départ une fois que celle-ci est complètement achevée. Ce procédé peut être d'une grande utilité, même sur une simple esquisse de paysage, car, on le verra, les effets produits sur cette esquisse exigent des lignes parfaitement définies pour ne pas perdre la structure originale. Dans ce cas, peu importe que quelques lignes en trop subsistent sur l'esquisse, puisque les couleurs que l'on appliquera par dessus les couvriront entièrement.

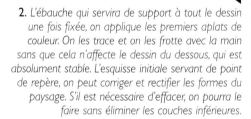

2. L'ébauche qui servira de support à tout le dessin une fois fixée, on applique les premiers aplats de couleur. On les trace et on les frotte avec la main sans que cela n'affecte le dessin du dessous, qui est absolument stable. L'esquisse initiale servant de point de repère, on peut corriger et rectifier les formes du paysage. S'il est nécessaire d'effacer, on pourra le faire sans éliminer les couches inférieures.

3. Comme le tableau n'est pas encore terminé, et que l'on a appliqué quelques couches de couleur intéressantes, on fixe à nouveau en vaporisant légèrement. Cette nouvelle fixation permet d'obtenir une base d'une grande stabilité sur laquelle on pourra travailler à nouveau sans altérer les couches inférieures. Notez que la fixation du pastel ne doit pas être appliquée trop souvent, et surtout jamais sur l'œuvre achevée.

LES EFFETS SUR LE FOND FIXÉ

Une base de couleur est le meilleur support que l'on puisse utiliser en pastel, car les nouveaux apports de couleur trouvent une base chromatique sur laquelle se détacher par contraste ou par fusion de ton. Dans tous les cas, comme on l'a expliqué à plusieurs reprises, on fixera uniquement les premières interventions, et on laissera le tracé final sans aucun type de fixation, frais et spontané.

▶ **1.** *La base de couleur précédente est parfaite pour poursuivre le dessin avec de nouveaux apports tonaux ou chromatiques. Dans ce cas, on peut observer la façon dont les nuages se fondent avec le fond, sans que leur couleur ne se mélange à celui-ci. À partir de là, toute correction devra être apportée en superposant une nouvelle couche de couleur. De la même façon que les nuages ont été dessinés sans altérer la couleur inférieure, dans l'arbre, ont applique des traits et des aplats, en laissant transparaître certaines zones du fond.*

▶ **2.** *Dans la zone correspondant au terrain, on traite les détails directement. La couleur du fond sert de base aux nouvelles tonalités qui sont appliquées avec l'extrémité du pastel. Dans cette partie de la composition, on peut combiner les différents effets avec le trait direct ou avec le fondu des couleurs.*

> Une fixation successive des couches de couleur est une bonne base sur laquelle le pastel adhère avec force et peut créer des empâtements importants.

▶ **3.** *Une finition directe et fraîche peut être l'aboutissement parfait de ces fixations successives. Comme on peut l'apprécier, les couches inférieures transparaissent entre les nouvelles zones parfaitement délimitées et construites. Les nouveaux fondus ne se mélangent pas avec les couleurs du fond, ce qui laisse intacte la fraîcheur du pastel.*

pas à pas
Des fleurs

Le pastel est la plus fraîche et la plus spontanée de toutes les techniques picturales, pourvu qu'on l'utilise correctement. Sinon, il peut arriver qu'un projet, commencé avec de splendides couleurs et un dessin bien maîtrisé, finisse mal à cause d'une simple vaporisation de fixatif sur l'œuvre terminée. On peut donc employer le fixatif, mais au bon moment, et surtout pas à la fin. Dans cet exercice, on va représenter quelques fleurs délicates. L'aspect le plus intéressant à rendre est la pureté de la couleur.

MATÉRIEL NÉCESSAIRE

Pastels (1), papier bleu foncé (2), fixatif (3) et chiffon (4).

1. *Puisqu'on a choisi un papier très sombre, la meilleure façon d'esquisser le dessin est d'utiliser un trait lumineux. Pour ce faire, on exécute le dessin au pastel blanc. On réalise le croquis des lignes principales avec un geste très rapide, en suggérant uniquement les plans nécessaires, sans entrer dans les détails.*

2. *On commence à peindre la fleur du haut avec un ton gris, très lumineux même sur un fond sombre. Ce ton apparaît comme une couleur appropriée pour les zones d'ombre des fleurs. On colore les zones les plus lumineuses avec du blanc pur et on a ainsi placé tous les tons qui vont être développés sur les fleurs. Pour faire ressortir la forme définitive des fleurs, on colore le fond en bleu marine, qui est une des couleurs les plus belles et les plus lumineuses de la gamme des pastels. On fond un peu le blanc sur le fond bleu pour obtenir un nouveau ton de bleu, tirant beaucoup plus sur le blanc.*

3. *On peint la fleur du haut avec des touches directes de couleur blanche sur lesquelles on applique du gris pour obtenir les tons moyens des ombres. Sans trop altérer le dessin des pétales, on fond les contrastes qui semblaient trop marqués. Cette fusion est extrêmement facile. La couleur du papier représente la tonalité la plus sombre entre les pétales.*

4. *On pratique quelques impacts très directs de blanc sur la fleur supérieure pour représenter les éclats les plus lumineux. On dessine le centre de la fleur avec des traits lumineux orange et jaunes. On peint la tige avec du vert foncé, rapidement et sans entrer dans les détails. On applique maintenant une couche de fixatif sur l'ensemble du tableau, à une distance qui évite la concentration du produit sur le papier. Le pastel ne doit pas s'empâter, il suffit d'une vaporisation légère pour que le travail reste stable lors des prochaines interventions.*

5. *On a fixé la base pour qu'elle reste stable lors les interventions ultérieures. Tout ce qui sera réalisé par dessus ne viendra pas l'altérer. Par exemple, on peut étirer la nouvelle couche de gris du pétale gauche de la fleur supérieure sur les couleurs du dessous, sans pour autant les altérer. Une fois cet aplat réalisé, on achève les éclats qui cernent les pétales et on réalise de nouveaux apports d'orangés qui enrichissent les ombres.*

Quand on utilise un fixatif pour pastel, il faut choisir une bonne marque. Les bonnes marques s'efforcent de proposer des produits qui nuisent le moins possible aux techniques utilisées.

6. *De la même manière que les tons de la zone supérieure ont servi de base aux nouveaux apports de couleur, dans la fleur inférieure, les gris sont complètement fixés. On peut donc appliquer de nouveaux tons, sans que la fusion de ces couleurs n'affecte les couches inférieures. On peut fondre la couleur sans risque de mélanges grâce à la fixation de l'aplat initial.*

7. *On peint des nuances de couleurs qui se fondent sur leur contour avec les couleurs inférieures. On peut ainsi superposer des nouveaux gris et quelques éclats. Il ne reste plus qu'à pratiquer des touches de rouge très directes et quelques notes de jaune.*

SCHÉMA-RÉSUMÉ

Avec un papier foncé, on obtient une esquisse très lumineuse, réalisée ici en blanc.

Un bleu beaucoup plus éclatant que le fond permet de faire ressortir la forme des fleurs. On obtient les points les plus lumineux avec les tons les plus clairs.

Les détails blancs, très lumineux, rehaussent la forme des fleurs ainsi que les zones de lumière maximale.

On ajoute les gris de la fleur inférieure sur les couches de pastel préalablement fixées.

Tirer parti du fond

LA COULEUR DU PAPIER

Il est important de ne pas couvrir entièrement le papier au pastel si l'on veut que sa couleur serve de ton de base à la peinture. Le fond doit jouer un rôle actif parmi les nouvelles couleurs, et s'intégrer à la gamme utilisée comme une couleur supplémentaire. Il en résulte une atmosphère au sein de laquelle la couleur du papier participe à la luminosité du sujet.

Le pastel est une technique qui permet de percevoir les couches de couleurs inférieures à travers les couches superposées, si toutefois on tire parti du grain du papier dans le tracé. Il existe différentes manières de tirer parti du papier : sur une couleur peinte uniformément, sur la couleur propre du papier ou encore sur plusieurs couleurs fondues entre elles.

▼ 1. *Le papier choisi pour réaliser ce travail est d'un rouge très lumineux. On y représentera un sujet simple afin de constater comment la couleur du papier agit sur l'atmosphère de l'ensemble. Une forme ovale permet de représenter l'assiette, et sur celle-ci, à l'aide de cercles, on esquisse les trois pommes.*

▼ 2. *On peint la zone qui entoure les pommes pour bien discerner leur forme et définir les couleurs avoisinantes. On colore l'assiette avec des tons très clairs, en laissant intactes les zones destinées aux reflets. Sur un papier de couleur, les zones claires comme les zones foncées donnent une certaine valeur à ce fond. Si l'on peint avec une couleur très lumineuse, la couleur du papier s'intégrera comme un ton moyen.*

◀

3. *Pour finir les fruits, quelques reflets très précis indiquant la direction de la lumière suffisent. On réalise ces reflets directement et on peut les estomper avec le bout des doigts.*

LE FOND DU TABLEAU

On peut déterminer le fond avant de travailler le sujet principal, pour obtenir une base parfaitement définie au moment de s'attaquer au plan le plus important. Cette méthode est courante pour certains travaux au pastel, surtout si le fond est d'une certaine complexité, comme un décor pouvant être altéré par l'objet principal du tableau. Prêtez une attention particulière à l'étape de l'application du fixatif, qui stabilise le fond avant application des couches des plans principaux.

▶ 1. *Sur le fond, on peint les zones qui participent à l'atmosphère de l'ensemble, y compris dans les parties occultées du tableau. L'intérêt est d'obtenir une base bien définie sur laquelle on pourra réaliser les éléments principaux. On pourrait imaginer que cette première partie de l'exercice correspond au montage du décor de la scène. En faisant abstraction des éléments principaux, on pourra aisément travailler le ciel, les montagnes et le fond.*

▶ 2. *Une fois cette première partie de l'exercice terminée, on fixe le travail déjà réalisé. On applique le fixatif à une distance de 30 centimètres environ, en une couche légère qui n'empâte pas la couleur sur le papier. Dorénavant, le fond sera définitif et servira de base pour les éléments du premier plan.*

▶ 3. *On doit laisser sécher la couche fixée avant d'entreprendre la représentation des éléments du premier plan du paysage. Les rectifications que l'on voudra effectuer dans cette phase n'affecteront pas les couches fixées antérieurement. On peint les arbres et les autres éléments du terrain. Le fond apparaît à travers les branches des arbres.*

L'HARMONIE DE LA COULEUR ET DU FOND

Q uand la couleur du papier s'impose comme couleur de base, on peut partir de celle-ci pour développer la gamme chromatique du tableau. Par exemple, dans l'exercice proposé ici, on choisira un papier tabac. Toutes les couleurs utilisées appartiendront à la même gamme, de façon à établir une belle harmonie chromatique.

◀ 1. *Le papier tabac est idéal pour réaliser tous les types de sujet et permet d'obtenir des tons très naturels. On peut réaliser l'esquisse avec une couleur douce afin d'éviter un trop grand contraste, toutefois suffisamment marqué pour pouvoir la recouvrir avec les couleurs appropriées.*

▼ 2. *Un papier tabac n'implique pas l'utilisation de couleurs de la même gamme. On peut utiliser n'importe quelle couleur de la gamme chaude, de préférence des tonalités terre.*

3. *On contraste les zones claires et les zones foncées en dernier, au moment où l'on précise les formes et où l'on affine l'oiseau avec les zones sombres qui le modèlent. Comme on peut le voir, la couleur du papier transparaît sans que l'harmonie des couleurs n'en souffre. Le papier est la base principale de toutes les couleurs et fait le lien dans le chromatisme de l'ensemble.* ◀

L'APLAT ET L'ESTOMPAGE SUR UN FOND DE COULEUR

Dans les chapitres précédents, on a traité la couleur du papier comme base chromatique de la composition. C'est une constante dans la technique du pastel, dont le résultat est encore plus lumineux et encore plus tangible quand on l'utilise sur un papier de couleur. L'exercice suivant ne doit pas poser de sérieuses difficultés : il s'agit d'un simple échange entre aplats, lignes et réserves de la couleur du papier.

▶ *1. On dessine l'esquisse initiale avec un pastel bleu très clair pour donner forme aux fleurs, qui restent en réserve. La couleur du papier sera décisive pour les tons finaux de la composition et pour les premiers aplats. La couleur du papier va participer, à travers des points bleus lumineux, à la couleur définitive de certaines fleurs.*

2. On applique des couleurs très lumineuses autour des fleurs, en exerçant une pression suffisante pour couvrir le grain du papier dans certaines zones. On peint certaines fleurs en carmin et en rose. Pour les fleurs bleues, on laisse intervenir la couleur du papier.

▶ *3. On représente les reflets sur les fleurs bleues avec de légères touches de pastel bleu très clair. Sur certaines zones, on parvient à fondre ce bleu pour qu'il s'intègre parfaitement avec le fond bleu plus foncé.*

pas à pas
Un paysage

La couleur du fond, utilisée comme couleur supplémentaire de l'ensemble, s'intègre aux autres couleurs et finit par faire partie de la gamme utilisée. C'est précisément ceci que l'on va réaliser maintenant. L'exercice consiste en la réalisation d'un paysage avec une gamme très limitée. Le but est de laisser transparaître la couleur de base à travers les autres et de l'utiliser comme un ton supplémentaire des gammes employées. Cette exercice se fait sur un carton, dont la texture est très différente de celle du papier.

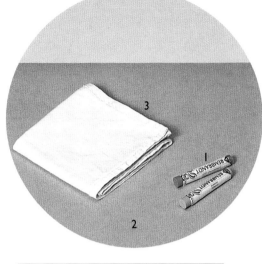

MATÉRIEL NÉCESSAIRE
Pastels (1), carton gris (2) et chiffon (3).

1. *On commence avec l'esquisse de ce qui sera le paysage. Ces premières lignes n'ont pas de fonction descriptive mais servent uniquement à placer les différentes masses. On dessine avec les différentes possibilités qu'offre le chant du pastel, autant sur sa partie transversale que longitudinale. Comme on peut le voir, les cimes des arbres s'esquissent avec des tracés légers de la partie transversale, tandis que dans la zone inférieure, on dessine des lignes très denses avec la partie longitudinale du pastel.*

2. *Le pastel adhère beaucoup plus sur le carton que sur le papier. Cette couche de couleur peut même boucher le grain, déjà assez fin, que présente cette surface. On peint avec du pastel orange, en tenant le bâton sur le chant, sans couvrir complètement la surface du carton. La couleur du fond ressort à travers la texture du trait.*

3. *En peignant en orange sur le bleu, on en entraîne une partie, et le mélange crée un ton légèrement vert. On utilisera uniquement ces deux pastels. Le bleu sera à l'origine des contrastes qui définissent chacune des masses du tableau. En plus de donner de l'atmosphère à l'ensemble, l'orange permettra de créer des nouvelles tonalités à partir de la fusion des deux couleurs.*

L'esquisse avec le chant
du pastel permet un
dessin sûr et très
synthétique.

4. *Comme on peut le voir, il est important que la couleur du support reste présente malgré les différentes applications de couleurs. Les contrastes les plus marqués, réalisés en bleu, donnent à ces petits espaces une importance accrue pour la luminosité de l'ensemble. Sur la droite du tableau, on exerce la pression nécessaire pour que le bleu soit dense et opaque. Sur l'arbre central, on applique alternativement des impacts des deux couleurs, que l'on mélange doucement avec les doigts, mais sans effacer entièrement le trait.*

5. *On mélange et on fusionne la couleur des fourrés de l'arrière-plan. Pour donner son volume à la texture, on réalise des contrastes très directs en bleu. On peint les troncs en contre-jour, de manière à ce que la couleur du support et l'orange du ciel gagnent en présence. Observez comment les tons se fondent et comment les superpositions donnent lieu à des mélanges. Dans certaines zones, le trait bleu acquiert une grande densité tandis que dans d'autres il effleure à peine le carton. Ainsi, la couleur orange et le fond continuent d'apparaître à travers les nouveaux traits.*

La carton possède un grain très fin : si on l'utilise comme support, le trait a tendance à glisser.

6. *Dans cette étape, les impacts directs de bleu et d'orange sont primordiaux. Le travail est centré sur le premier plan, celui du terrain. On trace d'abord les contrastes avec du bleu. Et sur ce bleu comme sur les zones fusionnées auparavant, on applique directement des touches d'orange. Sur les zones foncées de droite, on applique un tracé orange très léger. Cette application d'orange est équilibrée par le contraste excessif du bleu.*

7. Pour finir cet exercice de représentation d'un paysage, on fond légèrement les tons du terrain et on rajoute des impacts directs d'orange. Enfin, on peint en bleu la grande masse de végétation à droite, de façon à en accroître la taille. On peut ainsi considérer le paysage comme terminé. Observez comment la couleur du fond transparaît à travers les autres tons et permet une finition fraîche et spontanée.

SCHÉMA-RÉSUMÉ

On peint la totalité du support en orange. Un trait ouvert, réalisé avec le chant du pastel, permet de laisser transparaître le carton.

En peignant en orange sur le bleu, on entraîne une partie de la couleur inférieure et on produit ainsi des mélanges et des changements de tons.

On peint les contrastes avec du bleu. Cette couleur permet de représenter parfaitement l'effet de contre-jour.

Les impacts directs d'orange ajoutent de la luminosité au terrain et donnent davantage de contrastes aux tons.

Les animaux

SCHÉMAS ET CROQUIS

Le pastel est un procédé pictural idéal pour réaliser toutes sortes de croquis, et notamment dessiner et peindre des animaux, en raison non seulement des affinités qu'il présente avec les techniques de dessin mais aussi de sa capacité à représenter tous les types d'aplats et de traits, si utiles au résumé des formes. Dans ce chapitre, on va pratiquer le croquis et la peinture d'animaux avec les seules ressources qu'offre le bâtonnet de pastel. Le secret d'une bonne peinture n'est pas tant le trait mais ce qu'on peut faire avec.

Les animaux sont un des thèmes les plus attractifs que l'on puisse représenter, quel que soit le procédé de dessin ou de peinture. Le pastel permet d'obtenir des résultats remarquables, dans la mesure où l'aplat estompé, associé au trait, permet de rendre toutes sortes de textures de peau, de poils ou de plumes. Dans deux des chapitres précédents, on a vu comment peindre un oiseau et un cheval. Il est conseillé de revoir ces procédés avant de se lancer dans d'autres exemples plus complexes. Comme on pourra le constater dans les exemples qui suivent, les animaux, comme les autres éléments de la nature, peuvent être schématisés à partir de formes synthétiques très simples.

▶ **2.** *On esquisse les zones les plus caractéristiques et on rend les volumes à l'aide de tons foncés. Avant d'aborder la texture définitive du poil, il faut indiquer la direction de la source de lumière, qui peut être rendue en renforçant les tons foncés dans les zones ombrées ou les tonalités plus claires dans les zones lumineuses.*

▼ **1.** *Le chant du bâtonnet permet d'effectuer une grande variété de traits. Afin de peindre certains animaux, le plus sûr est de commencer par réaliser traits et aplats avec le chant du bâtonnet. D'un geste rapide, on peut rendre la forme de n'importe quel animal. La première question qu'on doit se poser dans le dessin et la peinture d'animaux concerne la ligne que forme le dos et les proportions entre les formes. Ce croquis a été schématisé entièrement avec le chant du pastel.*

3. *On peut finir le croquis en esquissant quelques lignes importantes ; il n'est pas nécessaire d'esquisser complètement l'animal, car certaines zones restent parfaitement suggérées par des restes du trait initial.* ◀

L'EXALTATION DES COULEURS

R ien de tel que la peinture d'animaux pour développer une technique entièrement basée sur l'emploi des couleurs. L'exercice qui suit va permettre d'aborder ce procédé chromatique, qui fait de la couleur l'élément principal. Pour commencer, il faut préciser que la méthode du peintre coloriste est une technique picturale qui rend les ombres grâce à des notes de couleurs pures et non par des tons ou des dégradés. Dans une technique comme le pastel, dans laquelle la couleur s'applique sans mélange, cette méthode est l'un des choix les plus sûrs.

▶ *1. Dans la peinture coloriste, le choix du papier est primordial, car on peut partir dès le départ d'une couleur complémentaire. On a choisi ici comme base un papier d'une couleur qui tranche avec celles que l'on va utiliser. Les premiers traits correspondent à la mise en place. Il faut commencer par synthétiser les formes, en résumant l'anatomie de l'animal à partir d'éléments géométriques purs comme dans cet exemple, où le schéma est constitué de formes ovales. Dans le développement de la composition, il ne faut pas utiliser une couleur trop proche de celle du papier pour que les corrections ne soient pas trop visibles.*

▶ *2. Une fois qu'on estime la mise en place terminée, on renforce les lignes principales et on donne une forme au dessin définitif afin de pouvoir intervenir avec la couleur. À ce niveau, on peut utiliser le chant ou l'extrémité du pastel, selon que l'on veut tracer un aplat ou une ligne qui esquisse la forme. Il est important de travailler à partir de ce stade avec des notes de couleur qui accueilleront plus tard des traits de grande luminosité et de contraste chromatique.*

> Exercez-vous avec les couleurs, c'est la seule façon de prendre confiance en vous. Faire des essais sur un papier identique à celui qu'on utilise permet d'obtenir très bons résultats.

▶ *3. Une fois la base bien définie et les couleurs suggérées, on applique des traits et des aplats beaucoup plus accentués. Les couleurs les plus lumineuses sont appliquées à côté des plus foncées, de sorte que leur complémentarité les renforce. Au lieu de changer de ton dans une même couleur ou de faire des dégradés pour rendre les changements de plan et la texture des plumes, on a recours à différentes couleurs lumineuses. Il est très important que les couleurs des premières couches se distinguent parmi les nouveaux traits.*

LES LIGNES ET LES APLATS

La combinaison des procédés est la clé pour peindre des animaux. Auparavant, on a étudié deux aspects différents de la représentation des animaux : le croquis et le travail avec la couleur. Comme on le verra ici, la peinture ne se résume pas à un langage de lignes ou d'aplats ; c'est dans la combinaison de tous les procédés que l'on trouve la solution plastique pour représenter formes et textures.

◀

1. Dans la phase initiale, on a pu voir que le trait obtenu avec le chant du pastel permet de rendre assez facilement la forme d'un animal. Celle-ci est la structure à partir de laquelle on va travailler. Dans ce cas précis, c'est moins le caractère du trait que l'esquisse des formes qui nous intéresse. Une fois le schéma réalisé, on l'estompe avec les doigts jusqu'à l'intégrer dans le fond, mais sans effacer le dessin.

▼ *2. Un aplat peut être une base parfaite pour peindre des animaux. L'approximation des formes dans l'ébauche éveille souvent l'imagination et aide à associer le trait avec l'image générée par le modèle. Une fois l'aplat réalisé, on peut le renforcer avec un trait direct. Ce trait s'intègre dans certaines zones sur le fond, sans laisser disparaître la forme originale.*

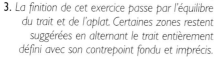

3. La finition de cet exercice passe par l'équilibre du trait et de l'aplat. Certaines zones restent suggérées en alternant le trait entièrement défini avec son contrepoint fondu et imprécis.

◀

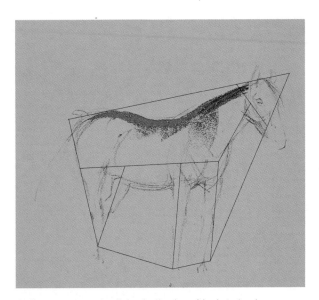

ÉTUDE COMPARÉE DE DEUX ANIMAUX

L'exercice qui suit cherche à montrer comment construire les structures de différents animaux. La comparaison est toujours un bon outil pour apprendre à peindre, surtout si cette comparaison s'effectue avec un esprit critique. La première chose qui doit attirer l'attention dans ces deux études, c'est la relation qui existe entre la tête, le tronc et les pattes de chaque animal. Les schémas initiaux montrent d'importantes différences dans les proportions.

▼ *Dans cet exemple, élaboré selon la méthode indiquée dans les pages précédentes, on peut voir comment construire la structure de ce cheval. On dessine avec le chant du pastel la ligne du cou, qui apparaît longue et sinueuse et en harmonie avec le dos et la croupe.*

Voici les deux animaux entièrement achevés. L'observation met en évidence les nombreuses variations existant entre ceux-ci aussi bien au niveau des pattes que dans les proportions entre les parties de leur corps. Il est important de prendre en compte les points de flexion des pattes, chaque espèce possédant une complexion différente. ▲

On réalise la vache selon le même mode, bien que, comme la figure l'indique, le cou ait une proportion différente. La taille et la forme des têtes présentent également des différences notoires. À ce stade, on peut déjà voir les ressemblances les plus visibles et les proportions les plus contrastées entre les deux animaux. ▲

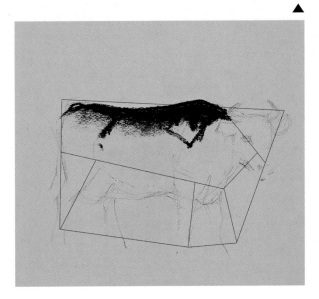

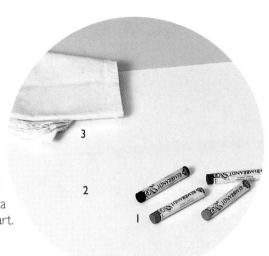

pas à pas
Cheval au pré

La peinture des animaux est l'un des thèmes les plus complexes que l'on puisse aborder, non seulement avec le pastel, mais aussi avec les autres techniques picturales. Cependant, le pastel est bien adapté à l'étude de l'animal, car son mode d'application directe s'approche du dessin, ce qui permet un travail très structuré. Dans cet exercice, on propose de peindre ce bel animal. Suivez attentivement le processus dès la première étape. S'il est plus complexe que les exercices précédents, sa mise en œuvre ne posera pas de difficulté particulière si on élabore une structure correcte dès le départ.

MATÉRIEL NÉCESSAIRE

Pastels (1), papier blanc (2) et chiffon (3).

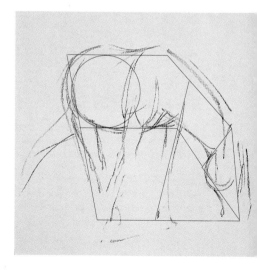

1. *Il est préférable que le pastelliste amateur ne possédant pas une expérience suffisante réalise sur le papier un schéma aussi simple que possible pour développer ainsi une structure qui, malgré sa simplicité, permette d'effectuer en toute sûreté un travail réussi. Pour obtenir un bon guide, on réalise au préalable le schéma du modèle. Comme on peut le voir, on peut représenter le cheval par des formes géométriques très élémentaires ; le découpage de ces formes permet à son tour de subdiviser les formes principales.*

2. A partir de ce schéma, on peut développer un dessin tout à fait défini, avec lequel on représente avec des lignes chacune des parties de l'anatomie de l'animal, ainsi que ses traits caractéristiques. Avec le chant du bâtonnet, on commence à peindre le corps du cheval. Le trait courbe permet de rendre rapidement le volume. Avec ces traits, on définit déjà certaines zones de l'anatomie comme la croupe ou le muscle de la patte avant.

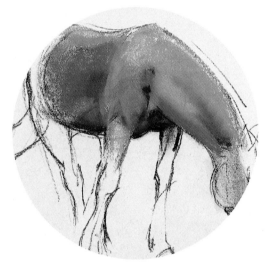

3. Pour colorer le cheval, il est important de ne pas utiliser qu'une seule couleur. Il faut peindre en pensant aux tons qu'on va appliquer ensuite et tenir compte du fait que les fusions entre les couleurs permettent une transition très façonnée entre les tons. Au départ, on a pris une couleur sanguine, on utilise maintenant une couleur plus lumineuse et orangée. Sur les teintes déjà appliquées, on peint les zones les plus sombres avec de légers traits de couleur noire. Avec le bout des doigts, on estompe ces tons, en cherchant par la même occasion le modelé des formes.

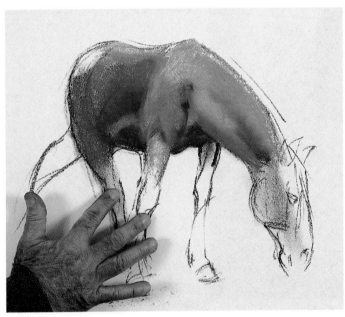

4. L'observation de la position de l'animal permet de voir les différences dans la position des points de lumière de l'arrière-train. On peint cette zone avec un ton foncé de la même gamme que pour le reste de l'animal. On obscurcit la partie basse de la panse, ce qui met en évidence les reflets par effet de contrastes simultanés. Pour rendre le ton plus clair du genou du cheval, on amène une partie de la couleur vers cette zone dans le but de la griser légèrement.

5. *C'est avec un pastel noir que l'on peint les contrastes les plus denses qui sont en définitive ceux qui achèvent d'affiner les formes du cheval. On utilise le noir pour la crinière, les parties sombres des pattes et la queue. Le modelé de la panse est contrasté avec le bout des doigts enduits de pastel noir. On commence ensuite la peinture des points les plus lumineux ; pour ce faire, on utilise un gris clair.*

Dans toute peinture au pastel, on doit commencer par travailler les formes et les zones de couleur, les contrastes et les détails étant laissés pour la fin.

6. *On continue à appliquer du noir sur les zones qui requièrent un plus grand contraste et on fond les teintes nouvellement appliquées avec les couches précédentes. On rend la partie inférieure des pattes avec un fondu de noir proche de la couleur du papier. Certaines zones, comme la partie postérieure, sont peintes à nouveau avec des touches directes de couleur terre rouge.*

7. Il reste à travailler la tête du cheval, qu'on réalise avec la même technique de modelé, contraste et fusion que le reste du corps, quoiqu'il faille porter un soin tout particulier pour cette zone dans l'ajout d'ombres. On peint les teintes foncées au dernier moment et on les fond doucement avec les doigts. Pour finir, on ajoute la teinte claire de la bouche qui est fondue sur les tons précédents. Pour donner plus d'importance au détail, il faudra toujours éviter de faire disparaître complètement le caractère du trait.

SCHÉMA-RÉSUMÉ

Le **schéma** doit développer les formes définitives à partir de figures géométriques simples.

Les **premières touches de couleur** sont posées sur la panse de l'animal ; le sens du trait facilite le modelé des formes.

Les **points de lumière** sur les pattes s'obtiennent en faisant glisser doucement le doigt sur le blanc du papier.

Un **pastel noir** permet de peindre directement les zones foncées de l'animal ainsi que les pattes.

Les ciels

LES COULEURS DU CIEL

La couleur du ciel varie à l'infini. En effet, chaque couleur de l'arc-en-ciel peut être présente dans le ciel à un moment donné. L'atmosphère, le moment de la journée et l'état de la météorologie sont des aspects déterminants de la couleur du ciel. Dans les pages suivantes, on présente quelques notes de couleurs à partir desquelles on peut réaliser une grande variété de ciels.

Le ciel est l'un des éléments les plus importants du paysage, même si c'est un thème indépendant qu'on peut développer seul ou avec d'autres éléments. On va ébaucher ici des ciels à différentes heures du jour et dans des conditions climatiques variées. La peinture de ciels est très créative et se prête à la mise en évidence des multiples possibilités qu'offrent les couleurs pastel.

▼ I. *L'ébauche d'un ciel peut se baser sur diverses couleurs qui formeront un dégradé. Pour commencer, il faut ordonner ces couleurs de manière naturelle, en exagérant si nécessaire celles que présente la réalité. Mais, dans bien des cas, cette exagération n'en est pas une, car la nature peut déborder la palette du peintre le plus coloriste. Les couleurs doivent être appliquées au début sans les fondre, en superposant les tons les uns sur les autres.*

2. *Avec le bout des doigts, on fond chacune des zones du ciel. Les étapes de la fusion des couleurs sont importantes puisqu'il faut garder certaines zones fondues mais propres. Dans cet exemple, on a commencé à fondre les couleurs à partir de la zone supérieure. On réalisera l'union entre les couleurs avec délicatesse pour supprimer leurs différences.* ▼

3. *Une fois que le fondu entre les tons est obtenu, on peut aborder certains détails directement avec l'extrémité des pastels. Ces points permettent d'accentuer les reflets et les différentes luminosités dans le ciel.* ◄

▶ 1. *Pour commencer un ciel dégagé, on peut au départ appliquer la teinte de la zone supérieure, qui est pratiquement toujours la plus foncée et la plus pure. Cela est dû au fait que la couche atmosphérique devient plus importante lorsqu'on observe le ciel dans la direction de l'horizon. Sous cette première bande de couleur, on en applique d'autres, de façon à obtenir un dégradé de tons. Il est important que la couleur située juste au-dessus de la ligne d'horizon se détache par sa luminosité, car c'est à ce niveau que la couche atmosphérique acquiert sa plus grande épaisseur et rend les couleurs du ciel moins lumineuses.*

LES APLATS SUR CIELS DÉGAGÉS. LA LIGNE D'HORIZON

La peinture la plus simple à effectuer est celle des ciels dégagés ou peu nuageux. Dans ces cas-là, le tracé de la couleur est spécialement délicat, car les ciels, comme on l'a vu dans l'exercice précédent, peuvent s'enrichir de multiples nuances. Ici, on met en œuvre la réalisation d'un ciel dégagé et son changement chromatique au niveau de la ligne d'horizon, une méthode simple qui permettra sans aucun doute d'aborder un nombre infini de situations dans le paysage.

▶ 2. *Il suffit de passer doucement les doigts sur les zones du ciel qu'on a peintes pour que le tracé devienne une masse de couleur homogène qui, à son tour, va s'intégrer aux autres couleurs qu'on a appliquées sur le tableau. Le plus grand soin est nécessaire lorsqu'on passe d'un ton à un autre, car l'une des couleurs claires ou lumineuses peut se salir facilement au contact d'une des couleurs foncées des parties supérieures.*

▶ 3. *Les dernières nuances dans les tons permettent d'apporter des notes lumineuses dans l'ensemble des dégradés. Sur cette base de couleur, on peut réaliser de nombreuses modifications comme celles que l'on peut voir dans cette dernière étape, où on a superposé quelques nuages. Un autre point important concerne le traitement des blancs. Comme vous pouvez le remarquer, on n'utilise pas de blanc pur, excepté pour les zones réellement lumineuses.*

L'HEURE DE LA JOURNÉE

On a déjà noté que les ciels varient constamment en fonction de la luminosité selon l'heure de la journée. Dans cet exercice, on propose de réaliser trois ciels différents correspondant à plusieurs moments de la journée à partir d'un seul paysage. Le premier à l'aube, quand l'horizon se teint de tonalités rougeâtres ; le second correspond à un ciel lumineux à midi avec des nuances de jaune à l'horizon. Enfin, on va peindre un ciel crépusculaire, presque nocturne, dans lequel les tons bleus deviennent mauves et profonds.

1. Le ciel de l'aube et celui des premiers instants du crépuscule peuvent être identiques. Le soleil à l'horizon sature de tonalités rosées la couleur de l'atmosphère et donne des couleurs presque irréelles dans les zones les plus basses. Le pastel permet de rendre facilement ces apports de lumière et de couleur, même après avoir appliqué les couleurs originales, bien qu'il faille apporter un soin tout particulier à la fusion des teintes pour éviter qu'elles ne se salissent mutuellement.

2. À midi, le ciel est à son apogée de lumière. Les bleus sont saturés et deviennent purs. À l'horizon, selon les jours, on peut observer des changements de ton. Les jours de grande chaleur, selon la zone, on peut voir de la poussière en suspension qui apporte une teinte rougeâtre ou jaunâtre.

3. Quand la nuit tombe, les tonalités sont toujours très contrastées ; d'un côté, les couleurs propres à la nuit, bleus profonds ou violets, de l'autre, les restes de lumière du couchant. On rend ces derniers rayons de soleil avec des traits lumineux de pastel qui teintent en rose ou orange certaines zones du ciel. Ici aussi, il faut porter un soin particulier à la fusion des teintes, car ce qui nous intéresse, c'est de garder fraîcheur et vitalité aux couleurs les plus lumineuses. Ces teintes chargées de lumière sont peintes, fondues et superposées dans les dernières étapes du processus.

LES NUAGES

Les nuages peuvent prendre de nombreuses formes, couleurs et textures. Malgré les apparences capricieuses de leurs formes, ils ne se condensent pas au hasard, mais sont régis par des conditions qui les classent en cumulus, cirrus ou stratus. L'altitude des nuages, leur densité et l'heure du jour permettent plus ou moins le passage de la lumière du soleil. C'est ainsi que certaines zones sont éclairées alors que d'autres restent obscures. Dans cet exercice, on va peindre des nuages d'orage. Remarquez la fusion des tons et les points de contraste tonal maximal.

▶ **1.** *Le choix du papier est une question importante si l'on veut tirer parti de sa couleur. Ici, un ton grisé aidera à représenter ces nuages d'orage. Dans cet exercice, on va s'interdire de laisser transparaître le plus petit bout de ciel, ce qui signifie que tout le travail va se concentrer sur l'élaboration des nuages. La première étape consiste à dessiner les formes les plus visibles des gros nuages. Ainsi, on pourra prévoir les principales zones claires et foncées.*

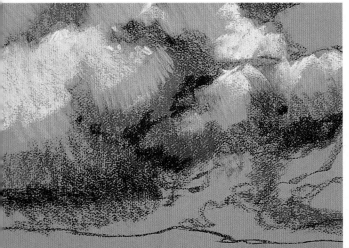

▶ **2.** *On peint les tons les plus lumineux, sans recouvrir les gris moyens puisqu'on veut tirer parti de la couleur du papier. Ces tons peuvent être blanc ivoire, blanc pur ou même jaune de Naples. On peint également les tons les plus foncés qui doivent correspondre aux zones d'ombre. Comme on peut le voir, la couleur du papier s'intègre parfaitement aux nuages, bien qu'on n'ait pas encore fondu les tons ajoutés. Le volume est parfaitement rendu grâce aux principaux points de lumière.*

▶ **3.** *Les tonalités foncées et claires sont fondues sur le papier avec les doigts. De cette façon, on peut modeler les formes des nuages. On réalise ce fondu avec des mouvements courbes qui intègrent les teintes nécessaires à la couleur du papier. Une fois le fondu obtenu, on effectue des apports directs qui finissent et font ressortir certaines zones et permettent, dans d'autres zones, des reflets très précis.*

pas à pas
Ciel aux nuages rougeâtres

La réalisation de ciels peut être l'un des travaux les plus gratifiants et enrichissants que l'on puisse effectuer au pastel. Il n'est pas nécessaire d'avoir un dessin très élaboré comme point de départ. Cela nous dispense, pour réaliser certains types de ciels, du pénible effort que suppose le dessin dans de nombreux thèmes picturaux. En outre, la réalisation de ciels donne des résultats spectaculaires quand on choisit le bon moment de la journée. L'exemple que l'on propose ici en est la démonstration.

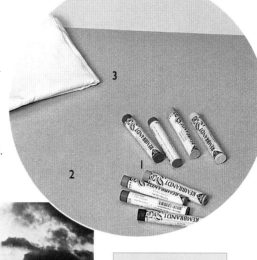

MATÉRIEL NÉCESSAIRE

Pastels (1), papier de couleur grise (2) et chiffon (3).

1. *Le dessin initial ne revêt pas la même importance que pour d'autres thèmes picturaux. Cependant, il sera un guide parfait pour élaborer les différents plans du tableau et situer les couleurs de manière adéquate. Ces traits sont dessinés avec l'arête du pastel, d'un trait net qui permet de différencier le sol de la forme des nuages. Alors qu'on définit le sol par un dessin dense et foncé, on peint les nuages de façon beaucoup plus sinueuse.*

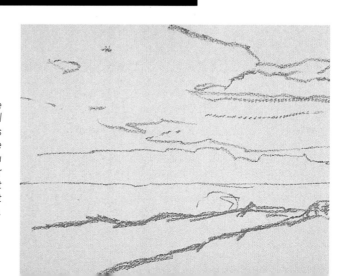

2. *On commence par peindre la teinte la plus lumineuse du ciel, là où le soleil se reflète encore dans les nuages. Ces premières couleurs combinent différentes tonalités jaunâtres dans lesquelles on ajoute, au niveau de la ligne d'horizon, un soupçon d'orangé. Après avoir réalisé le tracé initial, on passe le bout des doigts, ce qui permet d'effacer le caractère direct du trait.*

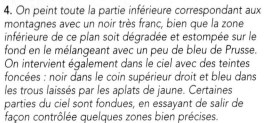

3. *On trace une nouvelle bande de couleur rose très lumineuse sur la zone orangée de l'horizon ; avec du violet clair, on peint la partie inférieure des nuages et la teinte est enrichie avec quelques touches de couleur bleue. Observez à nouveau la zone inférieure des nuages. Sur la bande rosée, on trace une fine ligne de couleur bleue et on la fond avec les doigts afin d'obtenir une tonalité salie mais très localisée.*

4. *On peint toute la partie inférieure correspondant aux montagnes avec un noir très franc, bien que la zone inférieure de ce plan soit dégradée et estompée sur le fond en le mélangeant avec un peu de bleu de Prusse. On intervient également dans le ciel avec des teintes foncées : noir dans le coin supérieur droit et bleu dans les trous laissés par les aplats de jaune. Certaines parties du ciel sont fondues, en essayant de salir de façon contrôlée quelques zones bien précises.*

5. *On peint les gris les plus denses de la voûte céleste. On souligne les contrastes avec les teintes les plus lumineuses grâce à l'apport, dans ces zones-là, de couleurs beaucoup plus claires qui jouxtent les plus foncées qu'on vient de peindre. Ces teintes de lumière ne sont pas blanches mais sont des variations claires de jaune de Naples. Le soleil couchant est rendu par de nombreuses touches de couleur jaune, jaune de Naples et orange. Le premier plan du sol est peint avec une teinte noire très profonde, qui contraste avec le dégradé réalisé auparavant.*

6. *On peint à nouveau sur les nuages jaunâtres avec des teintes beaucoup plus lumineuses qui se superposent aux couleurs foncées de l'ensemble. Certaines zones peintes au préalable dans les bleus sont obscurcies avec un pastel noir. Le coin inférieur droit de la zone correspondant au sol est peint avec une tonalité bleue, et les noirs et les bleus sont fondus. La base de couleur utilisée jusqu'à présent est idéale pour continuer à traiter les différents détails de luminosité, qui s'appliquent sous forme d'impacts directs, de traits linéaires ou encore comme des notes de fusion sur les teintes inférieures.*

7. On vient apporter les dernières touches très directes sur les points de luminosité maximale du ciel avec une tonalité blanc cassé. A gauche, on adoucit encore certaines zones où on introduit un rose saumon très lumineux. Il reste à peindre la partie correspondant au soleil et la zone qui l'entoure. À ce stade, on peut estimer que cet impressionnant ciel à la tombée du jour est achevé.

SCHÉMA - RÉSUMÉ

Les premières couleurs qu'on applique sont les plus lumineuses, afin de pouvoir les recouvrir de teintes plus foncées et contrastées.

Les impacts de lumière sont peints au dernier moment. On laisse certaines zones éclatantes et directes sans les fondre.

La bande de couleur correspondant à l'horizon est peinte avec de l'orange et des tonalités rosées qui s'y fondent.

Les teintes foncées les plus profondes sont peintes avec du noir qui contraste fortement avec les zones les plus colorées du ciel.

Les arbres

LA STRUCTURE DES ARBRES

Il est important de connaître la structure interne des objets avant de commencer à les représenter sur le papier. Comme on a pu l'étudier jusque-là, tous les objets et les formes de la nature peuvent être représentés à partir d'autres éléments plus simples et de formes géométriques. Un arbre peut également s'appréhender de cette façon ; la synthèse de ses formes devient alors beaucoup plus évidente que celle de beaucoup d'autres objets de la nature.

Les arbres sont des éléments souvent indispensables dans le paysage. Parfois ce sont des points précis qui demandent une grande élaboration et un grand soin dans le détail ; d'autres fois, ils peuvent se résumer à de simples taches de couleur verte qui sont estompées sur le fond. Dans ce chapitre, on va aborder certains exemples qui serviront de modèles pour des exercices ultérieurs. Les techniques employées ici vont permettre de peindre toutes sortes d'arbres, quel que soit le paysage.

▼ *La forme triangulaire facilite la représentation d'arbres à structure conique comme les sapins ou les cyprès. Avant de peindre cet arbre, on a schématisé sa forme pour mieux la comprendre. Il est important d'étudier les points de lumière de chacune des zones de l'arbre. Ce sont les ombres qui permettent de bien situer les différentes teintes de couleur verte.*

▼ *Un arbre d'une certaine complexité peut être simplifié dans un schéma sommaire, à partir duquel sa restructuration peut aider à comprendre les rythmes internes des branches. Comme on peut l'observer sur cette figure, l'arbre part d'une forme rectangulaire qui a été divisée en plusieurs sections jusqu'à permettre la description de ses branches et de son tronc avec des formes élémentaires.*

▼ *Une fois qu'on a appréhendé la forme générale de l'arbre, on peut dessiner et peindre de façon définitive. On effectuera d'abord les contours, puis, à l'intérieur, chacune des taches et des couleurs qui composent sa texture.*

LES APLATS SUR L'ARBRE

D ans tout procédé pictural, l'aplat acquiert une importance fondamentale. Après l'esquisse, l'application de la couleur va permettre de guider tout le processus du tableau. Dans cet exercice, on peut voir de façon détaillée comment on réalise un aplat correct pour que les contrastes trouvent leur support dans les teintes claires et foncées. Le caractère direct du trait de pastel permet une grande variété de choix : la surface où l'on peut prévoir chacune des zones de lumière ou d'ombre, ainsi que la texture définitive apportée par les touches finales.

▶ **1.** *Une fois l'esquisse achevée, on commence l'aplat sur l'arbre. Dans la mesure où le pastel s'applique sous forme de trait, sa peinture acquiert la forme d'une ligne plane, droite, courbe ou aussi large que le permet le diamètre du bâtonnet. Ainsi, les premiers traits ont toujours un caractère prononcé de dessin. Les lignes qui commencent l'aplat de l'arbre ont comme principale fonction d'indiquer ses volumes, parce qu'un arbre, à moins qu'il ne s'agisse d'une haie parfaitement taillée, possède une grande variété de formes, chacune ayant sa propre lumière et sa propre ombre.*

▶ **2.** *Une fois les premières touches foncées appliquées, on peint les zones les plus lumineuses. Dans ce cas, comme il s'agit d'un papier de couleur, le blanc ressort avec beaucoup de force. On continue à colorer l'arbre avec le bout des doigts, en atténuant le trait et en réunissant certaines zones, alors que d'autres conservent un trait visible. Il est important de considérer ce point avec attention. En effet, il ne faut pas estomper tout l'arbre.*

◀

3. *Après fusion de l'aplat avec le bout des doigts, on commence la finition de l'arbre, à l'aide de nouveaux apports de tons ; certains directs et spontanés, qu'on applique sans les estomper, et d'autres qui sont fondus sans pour autant être mélangés complètement aux couleurs inférieures.*

LA REPRÉSENTATION D'UN ARBRE

Comme on a pu le voir, le travail au pastel donne des possibilités illimitées : de l'application de la couleur à sa finition, la réalisation de l'arbre peut passer par une grande variété de procédés qui se situent toujours autour du fondu et du trait direct.

Dans l'exercice proposé ici, on va réaliser un double travail au pastel. On va commencer par un travail léger et direct à partir duquel on étudiera la manière de rendre la texture de l'arbre.

1. On utilise un papier dans les tons de vert dont de nombreuses zones s'intégreront parfaitement à la peinture, surtout celles qui ont la même luminosité. Le premier tracé qu'on réalise est totalement graphique. À ce stade, on n'appliquera ni aplat ni zébrures de couleur. Sur le dessin initial, on trace des traits dans lesquels interviennent d'autres couleurs mais le caractère léger et spontané est conservé tout du long. Ces traits ne sont ni empâtés ni fondus, la peinture est totalement gestuelle.

▼ **2.** *Cette première étape comprend uniquement le travail direct du dessin au pastel. De cette manière, on peut en remplir toute la surface, voire l'espace qui l'entoure. En peignant l'environnement de l'arbre avec ce tracé lumineux, le tronc ressort parfaitement et la couleur du papier s'intègre bien aux teintes de la cime dans la zone supérieure.*

▼ **3.** *On estompe les zones qui vont servir de base à d'autres couches de couleur. Sur ces zones fondues, on peint avec des couleurs plus foncées qui créent de forts contrastes par rapport aux autres. On fond à nouveau certaines zones foncées sur lesquelles on ajoute des couleurs lumineuses. Le reste du travail fait alterner traits directs et fusion des aplats.*

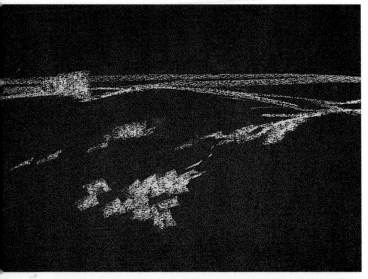

ARBUSTES ET VÉGÉTATION

Le paysage est souvent recouvert de végétation autre que les arbres. Cette végétation peut être constituée par de petits arbustes ou des touffes d'herbes qui sont rendus en combinant les deux techniques de base du pastel.

On ne représente pas souvent le détail, mais on le suggère au moyen de légers estompages ou de dégradés de la teinte combinés à des traits directs. Dans ces paysages de végétation, ce qui importe réellement c'est l'effet des clairs-obscurs.

▶ *1. Quand on peint une vaste zone de végétation, en réalité, on ne voit pas chacun des arbustes mais plutôt une masse de tonalités vertes présentant des différences de tons au niveau des changements de plan ou des ombres profondes de chaque zone. Le développement de l'ensemble est important et doit être traité comme un seul objet. Le schéma de départ est donc réalisé à base de lignes, les traits permettant de représenter le motif général.*

▶ *2. L'ensemble est coloré par zones, en utilisant divers tons de vert selon le degré de luminosité, sans définir clairement de limites. Le tracé est suffisamment dense pour laisser sur le papier une quantité importante de pastel. Ces empâtements, avec lesquels on donne forme aux différents volumes de la végétation, sont destinés à être fondus avec les doigts. Plus cette végétation est loin du spectateur, plus les contrastes d'arbres et d'arbustes ont tendance à se confondre en un seul ton.*

> La couleur du papier doit toujours être apparente sous les traits, pour transmettre la luminosité de l'atmosphère.

▶ *3. Une fois que les tons sont fondus, on intervient à nouveau avec des couleurs directes qui permettent une peinture plus contrastée et précise des zones d'ombre. On effectue également des traits isolés sur les points où tombe directement la lumière.*

pas à pas
Arbres et végétation

La représentation de thèmes dans lesquels la végétation tient un rôle principal est toujours une constante chez le paysagiste. Au départ, on pense souvent que toute la végétation est de la même couleur, mais avec le temps et la pratique, le pastelliste amateur apprendra facilement à différencier la grande variété de nuances qui composent un coin comme celui de notre modèle. Il n'existe pas de norme unique pour peindre la végétation, mais s'il faut prendre quelque chose en compte c'est bien la capacité du pastel à être fondu ou superposé, pour obtenir des tons variés dans les arbres et les arbustes. Observez bien les contrastes qui s'établissent dans le paysage, à partir de la zone inférieure de la rive et de la zone supérieure des arbres.

MATÉRIEL NÉCESSAIRE

Pastels (1), papier de couleur (2) et chiffon (3).

1. *Le dessin revêt une grande importance, bien qu'il doive être d'une grande simplicité. En premier lieu, on trace la limite de l'eau, la partie correspondant à la rive. Au-dessus de cette ligne horizontale, on ébauche toute la zone correspondant à la végétation, mais uniquement le contour des arbres et de la montagne au fond. Dans la partie correspondant à l'eau, on esquisse la forme de la rive au premier plan.*

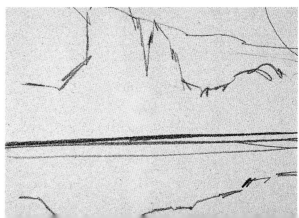

2. *Avec le pastel, il ne faut pas procéder à des mélanges directs sur le papier, mais, au contraire, appliquer chaque teinte, foncée ou claire, avec une couleur pure du coffret de pastels. Vert très lumineux pour la zone la plus claire des arbres, vert un peu plus foncé pour les ombres. Les zones obscures les plus denses sont rendues avec du noir mélangé légèrement avec les tons inférieurs. Au premier plan, on utilise du blanc afin que la couleur du papier contraste et s'intègre comme une couleur supplémentaire. On peint le ciel avec une couleur dans les tons de blanc, légèrement teintée de jaune de Naples.*

3. *Les couleurs sont fondues dans leurs zones de contact sans être mélangées. Certaines agissent comme des tons de base par rapport à celles qui seront appliquées ensuite. Par exemple, la tonalité violette au-dessus de la rive ou le bleu cobalt à droite. La seule zone du tableau où les couleurs se mélangent est celle de droite, où l'on a besoin d'une couleur très brouillée. Dans cette zone, on utilise du terre de Sienne brûlée, du vert et du noir. On mélange légèrement avec les doigts pour fondre complètement la limite de la couleur.*

4. *On superpose les couleurs sur les arbres lumineux de gauche et on fait en sorte que les tons du fond transparaissent au travers des traits plus foncés. En effleurant avec le doigt, on fond certaines zones et on contraste les teintes marron foncé que l'on vient de peindre sur la rive.*

> Il n'existe pas de norme unique pour peindre la végétation, mais s'il faut prendre quelque chose en compte c'est bien la capacité du pastel à être fondu ou superposé, pour obtenir des tons variés dans les arbres et les arbustes.

5. *Sur le fond complètement coloré, on peint des zones très localisées. Ici, on ne fond pas les traits, mais on les laisse frais et les couches apparaissent entre les trous. On pose des touches de vert foncé sur la rive. Comme on peut le voir sur l'illustration, le tracé est en zigzag, très ordonné, cherchant de manière générale les hauteurs des buissons de ce plan.*

Portez une attention particulière aux contrastes qui s'établissent dans le paysage. En définitive, c'est ce qui procure vie et impact à tout travail pictural.

6. *Avec le bout des doigts, on fond totalement le tracé foncé précédent. Ce faisant, on salit la bande non peinte qui se trouve sous la rive. Sur cette zone plus sombre, on utilise un vert très lumineux pour la partie supérieure de la végétation qui apparaît éclairée par le soleil.*

7. *En prenant bien soin de ne pas mélanger les couleurs, on fond la partie vert clair des buissons de la rive sur le fond sombre. Avec la même couleur claire qui a servi à peindre cette zone plus lumineuse, on applique quelques traits légers. On peint le côté gauche du paysage de la même manière que les arbustes de la rive, mais cette fois, avec des couleurs beaucoup plus lumineuses. Tout d'abord, quelques touches sont fondues, puis quelques détails sont rajoutés avec des traits appuyés. Après avoir peint certains contrastes supplémentaires dans la végétation du premier plan et dans les lignes de l'eau, on peut estimer que ce paysage est terminé.*

SCHÉMA - RÉSUMÉ

Avant de peindre les arbres, on réalise **une base de tons fondus.**

Le schéma initial est très synthétique. On ébauche seulement les formes générales des arbres et des rives.

Au premier plan, on peint en blanc. La couleur du papier reste intégrée à l'ensemble.

Le fondu dans l'eau est réalisé sans mélanger les couleurs.

Le seul mélange de couleurs qui est réalisé se trouve à la droite du paysage, où l'on peint un ensemble de couleurs brouillées.

120

Paysage urbain et perspective

QUELQUES NOTIONS DE PERSPECTIVE

Le paysage urbain permet une grande variété de possibilités, si l'on considère que chaque endroit peut être représenté à partir de nombreux points de vue. Pour pouvoir exploiter au maximum ces possibilités, il est nécessaire de comprendre les principales règles de la perspective ; ce qui ne sera pas difficile si on y accorde l'attention nécessaire.

Dans les villes et les villages, il est fréquent de voir des artistes qui choisissent comme modèles des rues et des places, même si celles-ci n'offrent, à première vue, aucun intérêt particulier. Le paysage urbain peut être appréhendé comme une étude de paysage naturel, bien que les variations de traitement et les besoins techniques qu'il exige soient très différents. Pour construire et composer un paysage urbain, il est fondamental d'utiliser la perspective, sujet que l'on va aborder dans les pages suivantes.

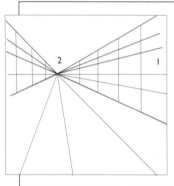

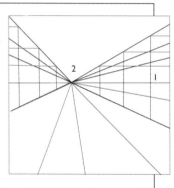

La ligne horizontale situe la ligne d'horizon (1). Sur cette ligne on place un point qu'on appelle point de fuite (2). Toutes les lignes parallèles que l'on trace entre le spectateur et l'horizon coïncident avec le point de fuite.

Si le point de vue coïncide avec la ligne d'horizon, on considère que l'observation se fait d'une hauteur normale dans la rue. Les lignes dessinées en bleu correspondent aux marques indiquées au-dessus du point de vue de l'observateur. Sur le point où la ligne verticale rencontre la ligne de fuite, on trace les lignes qui marquent les hauteurs des plans frontaux. Ces lignes, de même que la ligne d'horizon, sont totalement horizontales.

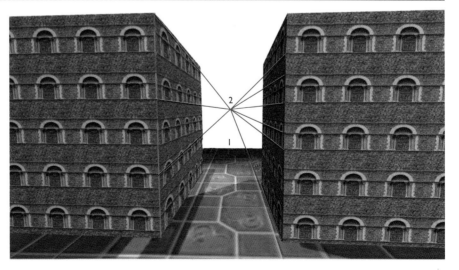

◄

Comme on peut le voir sur ce graphique, le point de fuite (2) est situé au-dessus de la ligne d'horizon (1) : cela suppose une élévation du point de vue.

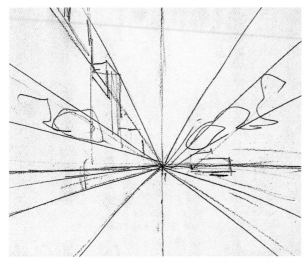

LA PERSPECTIVE ET LE PAYSAGE

À partir des graphiques et des explications données ci-dessus, on propose d'élaborer un exercice de perspective au pastel. L'exercice n'est pas trop complexe, surtout si l'on suit avec attention les illustrations et les textes de chacune des étapes qui le composent. Comme on peut le voir, on utilise un seul point de fuite, ce qui fait que toutes les lignes de perspective se dirigent vers lui.

▶ **1.** *On trace la ligne d'horizon, au centre de laquelle on situe le point de fuite où viendront coïncider toutes les lignes de fuite. On dessine plusieurs lignes qui passent par le point de fuite. Deux de ces lignes, situées au-dessous de la ligne d'horizon, ont été prises comme limite entre les lignes de terre et les verticales. Avec plusieurs traits verticaux, on dessine les bâtiments qui sont à la limite de la ligne de perspective la plus élevée. Délimités par deux lignes de perspective, on ébauche les arbres de l'avenue dont la taille diminue en fonction de l'éloignement.*

▶ **2.** *Les hauteurs des lignes verticales qui correspondent aux façades des bâtiments sont déterminées par la trajectoire des lignes de fuite correspondantes. A partir du sommet de chaque point de croisement entre la verticale de la hauteur et la ligne de perspective, on trace des petites lignes horizontales parallèles à la ligne d'horizon. Ces lignes viennent dessiner la forme des bâtiments. Selon ce processus, on peut réaliser n'importe quel type de bâtiments et de rues, en respectant toujours les bonnes hauteurs et profondeurs.*

▶ **3.** *Une fois les principales lignes dessinées et le paysage construit, on commence à distribuer les différentes zones de couleur sur le tableau. Les pastels permettent un travail rapide et léger, même s'ils interdisent le mélange des couleurs et qu'il faille employer directement la teinte recherchée. Chaque plan reçoit un ton différent. Tout d'abord, on peint la chaussée avec du gris, puis la zone la plus sombre des bâtiments de droite est délimitée avec du brun et, à gauche, les bâtiments sont peints en ocre.*

LA COULEUR ET LA DISTANCE

1. *On peint les façades des bâtiments de gauche avec de l'orange, mais les parties sombres de la zone d'ombre sont réalisées avec du noir presque pur. Sur l'un des côtés de la rue, on peint les cimes des arbres avec un vert très lumineux et sur le côté le plus sombre, on emploie un vert plus foncé. Au fur et à mesure que l'on peint les tons dans le lointain, le détail des arbres diminue, de même que les contrastes des bâtiments.*

Les couleurs se superposent aussi bien sur les teintes claires que foncées, ce qui facilite une évolution rapide du tableau.

2. *En s'éloignant du spectateur et en se rapprochant de l'horizon, les objets sont plus petits et moins bien définis. Les lignes de perspective encadrent la même hauteur du premier plan jusqu'au point virtuel où les lignes parallèles se rejoignent. De cette manière, il est possible de peindre les arbres de cet exercice. Plus les arbres que l'on peint sont loin, plus les détails s'amenuisent.*

3. *Les détails des objets les plus éloignés sont réalisés de façon très synthétique. Observez comment les lignes de la chaussée diminuent elles aussi de taille en suivant la perspective vers le point de fuite. Pour finir, on applique les contrastes les plus denses qui achèvent de définir tous les objets de ce paysage urbain en perspective.*

LE POINT DE VUE

Le point de vue permet de représenter le paysage à partir de différentes hauteurs. Un point de vue élevé situe le niveau du sol au-dessous du spectateur, qui observe ainsi le paysage d'une perspective supérieure. L'exercice suivant présente un paysage urbain vu du sommet d'une montagne. Il faut étudier attentivement la direction des lignes du schéma ainsi que l'effet produit quand on intercale un plan proche entre le paysage et le spectateur.

▶ **1.** *Le schéma initial doit poser dès le départ le point de vue du spectateur. Comme on peut le voir dans cette première esquisse, la ligne d'horizon a été située très haut. Ainsi, si le point de vue du spectateur coïncide avec la position de la ligne d'horizon, la perspective est supérieure, de telle manière que l'on montre une étendue de terrain d'un point très élevé. Un des moyens qui aident à réaliser ce type de perspective consiste à intercaler un plan situé à la hauteur du spectateur. Ici, on a schématisé à droite du tableau un terrain appartenant sur le plan au point d'observation. Pour tirer parti de la couleur du papier, on commence à peindre le ciel avec des tonalités très claires.*

▼ **2.** *Les couleurs au loin ont tendance à réduire le contraste et à s'unifier, surtout quand l'atmosphère est dense. Dans ce paysage urbain, on peut observer la différence de chromatisme qui existe entre le rendu du premier plan et les plans du fond. Afin d'augmenter cette différence, les couleurs sont blanchâtres dans le fond et ressortent sur la forme des jetées du port. Le terrain du premier plan est peint avec des couleurs très contrastées.*

▼ **3.** *Observez comment on a rendu le point de vue élevé : la distance est obtenue grâce à la situation des lignes de perspective, qui ne forment pas d'angles très ouverts. La couleur du fond joue aussi un rôle fondamental, puisque avec seulement quelques touches lumineuses et quelques contrastes foncés bien précis, on a pu représenter ce complexe industriel portuaire.*

pas à pas
Paysage urbain

Chaque coin d'une ville peut servir de modèle au peintre, même ceux qui sont vraiment sordides présentent souvent un intérêt artistique. Pour obtenir des résultats satisfaisants lors de la réalisation d'un paysage urbain, une bonne technique dans le dessin de la perspective peut en être la clé. Dans ce chapitre, on a indiqué, parmi d'autres points, des moyens simples avec lesquels peindre des paysages urbains. Pour les mettre en pratique, rien de tel que cette rue d'une grande métropole. Comme on peut le découvrir, les rues très larges et droites sont idéales pour réaliser une perspective avec un point de fuite.

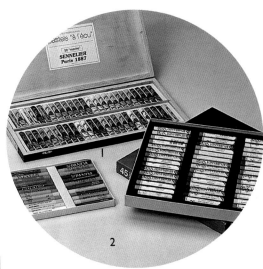

MATÉRIEL NÉCESSAIRE

Pastels (1) et papier (2).

Pour obtenir des résultats satisfaisants lors de la réalisation d'un paysage urbain, il est essentiel de posséder une bonne technique dans le dessin de la perspective. C'est là la clé fondamentale afin de peindre un bon tableau.

1. *En premier lieu, on tire les lignes de perspective. Tous les plans des bâtiments sont limités, aussi bien dans leur partie supérieure qu'inférieure, par des lignes qui tendent à se rejoindre en un point de fuite situé à l'horizon. Pour réaliser ce premier schéma, il n'est pas nécessaire de développer des lignes trop marquées. Cependant, si on manque de dextérité pour le dessin, il est possible de tracer une série de lignes de perspective ou de fuite qui serviront de support au tracé des plans. Pour réaliser ce schéma de lignes, il suffit d'observer la direction du trottoir, la base des bâtiments et la partie supérieure de ceux-ci. L'endroit où les lignes se rejoignent constitue le point de fuite.*

2. Une fois le dessin préalable complété, on peint la zone qui correspond au ciel. On utilise tout d'abord un jaune très lumineux qui permet un fort contraste avec le fond. Sur la couleur de base, on recouvre de blanc, puis on passe les doigts pour fondre le blanc dans le jaune. On obtient une couleur dense, caractéristique du brouillard d'une ville.

3. Dans ce paysage urbain, il est intéressant que la couleur du papier participe des couleurs utilisées. Dans certaines zones, on laisse transparaître la couleur du papier. De cette façon, il s'établit un rythme intéressant entre tons et couleurs. On peint les bâtiments les plus sombres avec un pastel foncé et on fond immédiatement cette teinte avec les doigts, pour rendre ainsi la particularité des murs salis par la pollution.

4. Les bâtiments les plus éloignés sont beaucoup moins contrastés que ceux du premier plan, c'est pour cela qu'on utilise un ton gris bleuté très lumineux. Avec un gris foncé, on fait ressortir les parties qui doivent apparaître plus lumineuses. Celles-ci correspondent à la couleur du papier. Les reflets sont rehaussés par des traits lumineux gris clair. On commence par peindre les véhicules avec des tonalités claires qui contrastent avec les foncées. Sur le gris foncé de la chaussée, on ajoute une couleur plus dense qu'on fond avec les doigts.

5. *Tirer parti de la couleur du papier permet de rendre une atmosphère de lumière très réaliste. Sur les zones sombres des bâtiments de gauche, on applique des touches de couleur rosée. On esquisse le portail du magasin de droite avec un gris foncé que l'on rehausse avec un ton très lumineux. On peint les voitures par petits traits foncés, sans trop insister et, au-dessus, on recouvre avec des touches lumineuses pour renforcer les reflets.*

6. *On passe quelques touches de jaune sur les bâtiments de droite pour donner au tableau quelque chose de l'atmosphère du ciel. On peint les baies vitrées du magasin de droite avec un pastel crème très lumineux. La perspective acquiert à nouveau une grande importance. Observez comment la ligne des fenêtres suit la même direction que le reste des lignes de fuite. Avec une couleur presque blanche, on suggère quelques lignes nouvelles qui encadrent les fenêtres.*

Pour fondre les couleurs, il faut frotter énergiquement avec les doigts. Ne craignez pas de vous salir les mains!

7. *Dans la zone supérieure des bâtiments de gauche, on fond les teintes avec les doigts pour effacer légèrement les traits qui ont été peints en dernier et obtenir ainsi une atmosphère chargée et distante. Avec ces détails, on peut considérer que ce paysage urbain réalisé au pastel est achevé.*

SCHÉMA - RÉSUMÉ

Dans un premier temps, on peint le ciel avec du jaune. Cela facilite une intégration immédiate de la couleur du papier dans le thème que nous développons.

Pour indiquer la perspective des plans, on doit diriger les lignes de ceux-ci vers un point à l'horizon. En perspective, deux lignes parallèles tendent à se rejoindre en un **point de fuite.**

Le plan le plus éloigné est réalisé avec beaucoup moins de contraste que les bâtiments du premier plan.

Avec du gris foncé, on noircit une partie des premiers plans sur le bâtiment de droite. La couleur du papier se devine à chaque instant à travers les tons noircis.

Spécificité
de la nature morte

DISPOSITION DES ÉLÉMENTS

Tout au long de ce livre, on a abordé certains points qui font référence à la nature morte. Chacun de ces points apporte des éléments indispensables au développement de n'importe quel tableau au pastel. Dans cette étude, on développera certains concepts supplémentaires. On va voir notamment comment disposer les différents éléments de la nature morte pour obtenir une composition harmonieuse et équilibrée du tableau.

La nature morte est l'un des thèmes les plus intéressants qu'on puisse développer au pastel grâce aux possibilités que sa composition offre et à la grande liberté que représente son élaboration. En outre, elle permet une étude approfondie des formes et de la couleur sans atteindre le degré d'exigence de la silhouette ou du portrait, ce qui rend cette étude accessible à tout pastelliste amateur, quel que soit son niveau. Ce chapitre est consacré aux procédés généraux relatifs à des éléments de la nature morte au pastel.

▼ Dans la nature morte, il est important de mettre les éléments en place correctement. Ici, on peut voir comment les éléments ont été placés. En déplaçant un des objets, en l'occurrence la boule vers la gauche, le groupe décalé vers la droite reste parfaitement équilibré.

À présent, on présente les mêmes éléments, mais leur distribution n'est pas agréable à regarder. On a commis l'erreur de concentrer excessivement les éléments tout en gardant un alignement trop sévère.

▶ Quand on cherche un certain équilibre entre les formes, il peut arriver qu'on commette l'erreur d'une composition excessivement dispersée. Dans ce cas, les objets ont perdu leur unité, il n'existe pas d'équilibre entre eux, ce qui rend la composition de l'ensemble peu harmonieuse.

LES PREMIERS APLATS ET LA SUPERPOSITION DE TRAITS

Le dessin de certains objets de la nature morte peut se faire de façon directe sur le papier. La technique permet une correction immédiate, en estompant le trait avec un chiffon ou en dessinant par-dessus en le recouvrant complètement.

On se propose de réaliser une fleur en alternant les deux principaux procédés du pastel. Tout d'abord, on commence le travail par un tracé rapide qui part d'une ébauche des formes principales, qu'on affirme ensuite, sans se soucier qu'un trait se superpose à un autre. Le pastel permet d'alterner un traitement de dessin pur, basé sur des traits, et un autre beaucoup plus pictural, obtenu à partir de traits effectués sur le chant du pastel et d'impacts de couleur.

▶ 1. *À partir du dessin de la fleur, on colore l'intérieur en alternant le trait sur l'extrémité du pastel et le trait sur son chant, qui permet de couvrir la surface de façon beaucoup plus rapide. Avant de continuer dans cette zone, on réduit la dureté du trait en l'effleurant doucement du bout des doigts, en prenant garde toutefois à ne pas fondre complètement toute la surface de la couleur.*

▶ 2. *Les plans de lumière et d'ombre au pastel sont rendus très facilement. Il suffit d'appliquer un ton plus clair sur la première couche pour que les différents plans de lumière se distinguent immédiatement sur la forme que l'on est en train de peindre. Sur le rose de la fleur, on applique quelques touches de couleur très lumineuse pour dessiner le bord des pétales. En revanche, les tons plus légers permettent de séparer les plans à l'intérieur de la rose, tout en modelant la forme des pétales.*

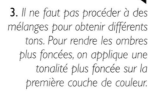

3. *Il ne faut pas procéder à des mélanges pour obtenir différents tons. Pour rendre les ombres plus foncées, on applique une tonalité plus foncée sur la première couche de couleur.*

LA MISE EN VALEUR OU L'EXALTATION DES COULEURS

D ans d'autres études, on a abordé le pastel avec la ferme intention de le mettre en valeur à partir des dégradés de tons et des fondus. On peut aussi produire différents effets sans nécessairement avoir à fondre les couleurs directement avec les doigts. Pour rendre cet effet qui est si utile dans la technique du pastel, on peut utiliser un pinceau pour atténuer le trait. Cette technique de semi-fondu des couleurs peut s'employer aussi bien avec le procédé de mise en valeur qu'avec l'exaltation des couleurs.

1. *Une fois le modèle dessiné, ici une nature morte composée de deux fruits, on commence à peindre le fond, un ton de vert rendu par des hachures. Les pommes ressortent grâce à cette couleur. Une fois le fond terminé, on commence à colorer les pommes. Sur les zones d'ombre, on applique des couleurs beaucoup plus denses et chaudes que celles utilisées pour les zones de lumière. La couleur du papier est entièrement encadrée par certaines zones dans lesquelles elle apparaît entre les traits fraîchement dessinés.*

2. *Une fois appliquées toutes les couleurs de la nature morte, on prend le pinceau à poils souples et on commence à fondre doucement la couleur, sans trop insister, le pinceau retirant les particules de pigment assez facilement. En passant le pinceau sur les aplats, les couleurs sont fondues de façon plus légère que lorsqu'on utilise l'estompe ou le doigt, car le trait ne s'efface pas complètement.*

> Selon le pinceau utilisé,
> on peut obtenir différents effets de
> fusion. Certains pinceaux spéciaux
> permettent un travail très précis.

3. *Dans cet exercice plein de lumière et de couleurs, l'usage du pinceau a certes son importance, mais les impacts directs sont tout aussi fondamentaux. Pour obtenir cette finition, on combine parfaitement les zones estompées et les contrastes qui définissent les formes des fruits.*

LES ÉCLATS ET LES REFLETS

Les éclats et les reflets dans la nature morte peuvent s'obtenir de manière très différentes, mais, pour chacun d'entre eux, il faut considérer la possibilité qu'offre le pastel d'une peinture par fusion ou bien par impacts directs de lumière. Dans cet exercice, on explique de quelle façon rendre les éclats du verre.

▶ **1.** *Le pastel requiert dès le départ un dessin bien construit, surtout quand l'intervention sur le papier est minime. Le dessin est toujours la base fondamentale pour placer n'importe quel élément de reflet ou d'éclat. Le dessin peut être réalisé avec des couleurs claires ou foncées, cela dépend en grande partie de l'importance du relief de la ligne sur le papier. Le trait doit être le plus propre possible, même si, en cas d'erreur, on peut le corriger en l'effaçant. Le point de lumière le plus lumineux est peint par impact direct de couleur blanche juste au milieu du verre.*

▼ **2.** *L'éclat faible du centre du verre est rendu par un fondu léger de la couleur. À l'intérieur du verre, on peint les reflets dans l'eau. La couleur verte du papier transparaît à travers les autres tonalités, de telle façon qu'elle s'intègre à l'ensemble chromatique. Observez comment on a rendu les éclats sur le verre en alternant la fusion des tons et les traits directs de pastel.*

▼ **3.** *À partir des contrastes, on rend les formes définitives par de petites touches brillantes et foncées dans des zones précises du tableau. La partie la plus sombre du verre est peinte en noir et, juste à côté, on réalise un léger éclat qui met en contraste la forme du verre et le fond. Pour finir, les parties les plus lumineuses, comme le reflet sur le bord du verre ou le chatoiement de la fleur, sont peintes à l'aide d'impacts directs de couleur.*

pas à pas
Nature morte
aux fruits et assiette

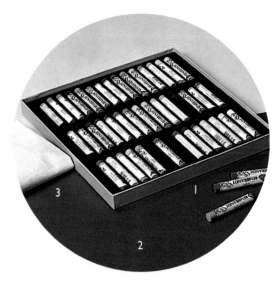

La nature morte qu'on propose ici requiert une attention toute particulière quant à sa construction initiale, car les couleurs des objets qui la composent s'influencent. De même, on pourra constater qu'il est beaucoup plus facile de réaliser un fruit que la courbure précise de l'assiette. Si on observe avec attention le modèle, on peut découvrir des ombres légères entre les fruits, qui sont transmises aux couleurs contiguës. De toute façon, ce n'est pas un travail difficile si on respecte attentivement les étapes proposées.

MATÉRIEL NÉCESSAIRE

Pastels (1), papier de couleur (2) et chiffon (3).

Il faut soigner le détail du modèle, tant au niveau de la disposition dans le tableau que de la couleur des fruits.

1. *Avant de commencer à peindre, il est important d'accorder l'attention nécessaire au dessin. L'esquisse est réalisée avec un pastel foncé. La forme de l'assiette étant la plus complexe, il est donc conseillé de soigner son élaboration. On rectifie l'assiette au moyen de traits successifs jusqu'à obtention de la forme complète.*

2. *Avant d'intervenir avec la couleur, on atténue légèrement le dessin avec le chiffon afin que le trait foncé ne soit pas excessivement défini. On applique les tons les plus foncés des fruits : orange foncé pour la grenade et carmin violacé pour les zones d'ombre des prunes. La partie à la lumière des prunes est peinte en rose violacé. On applique également les couleurs les plus lumineuses de la poire et de la pomme par un tracé jaune.*

4. *On élimine l'excès de pastel sur la nappe avec le chiffon. On peint le bord de l'assiette et le fond avec un crème très clair en évitant toutefois que la couleur soit trop contrastée. On applique sur la grenade de gauche une teinte orangée très lumineuse. Le contraste entre les couleurs et le fond est parfaitement équilibré.*

3. *On peint la prune qui est sur la table avec un rose très brillant et la grenade avec du rose, de l'orange et du vert. Les couleurs de cette zone sont délicatement estompées avec le doigt. Sur la nappe, on applique, en principe de façon énergique, un blanc très lumineux qui se détache du fond. Avec l'extrémité du pastel, on dessine un tracé radial à partir de l'assiette vers l'extérieur.*

Les formes très précises sont toujours plus complexes à réaliser que celles qui, comme les fruits, permettent une certaine marge d'erreur.

5. *On utilise une couleur différente pour chacune des zones foncées des fruits. Les teintes des grenades se reflètent sur les fruits qui les entourent et réciproquement. Par exemple, on applique des touches rosées sur les zones foncées des grenades, et sur les prunes des nuances bleues et orange clair.*

Au moment de travailler les zones foncées et les ombres, il est nécessaire d'avoir à l'esprit que toutes n'ont pas, et ne doivent pas avoir, la même tonalité. Chaque ombre est modifiée par la couleur de l'objet qui s'y reflète.

6. *On peint la grenade de droite avec un rose très lumineux pour accentuer l'effet de lumière. Sur l'assiette, on trace des traits blancs très directs. La couleur du papier fait partie intégrante des couleurs de la nature morte. Le travail va consister maintenant à rendre les teintes de la nappe.*

7. On met en valeur aussi bien les zones claires que foncées de l'ensemble. L'ombre de l'assiette sur la nappe est légèrement fondue avec les doigts avant d'appliquer un léger ton vert. On peint l'assiette avec un gris clair et on termine les fruits et leurs ombres. Si on laisse certaines zones intactes, en revanche, on passera doucement les doigts sur d'autres afin de fondre les traits sans pour autant les mélanger.

SCHÉMA - RÉSUMÉ

On met au point **le dessin initial**, en corrigeant les erreurs possibles de l'assiette. Les formes très précises étant souvent très complexes à rendre, on les garde pour la fin.

On commence par peindre les teintes foncées des fruits qu'on fait aussitôt contraster avec des couleurs lumineuses. Le jeu des contrastes simultanés est très important.

Les éclats sur l'assiette sont précis et intègrent la couleur du papier à l'ensemble.

On trace des rayures radiales pour **le blanc de la nappe** avant d'estomper la teinte.

16

Étude de la silhouette

CROQUIS DE SILHOUETTE AVEC LE CHANT DU PASTEL

Pour effectuer des croquis il faut peu de moyens, et encore moins avec le pastel. Cet exercice transmet le véritable sens du croquis, en tenant compte du fait que celui-ci ne consiste pas en un travail très élaboré. Il suffit de quelques touches pour capter l'essence d'une silhouette, mais ces touches doivent être placées avec précision, même si cela suppose de corriger un trait déjà tracé. Portez une attention toute particulière à l'utilisation du pastel et de son chant, qui en définitive donne le tracé le plus souple.

Le croquis est l'une des meilleures façons d'apprendre à représenter une silhouette. Un trait rapide et une attitude prise sur le vif permettent de capter le motif de manière intuitive, ce qui sert aussi à développer des formes de silhouettes d'une grande complexité. Quand on utilise le pastel plus comme moyen pictural que comme technique de dessin, il est possible d'obtenir des croquis de silhouettes d'une grande beauté, sans perdre les caractéristiques du trait.

▼ 1. Après une ébauche linéaire rapide, la silhouette est développée à partir du trait effectué avec le chant, c'est-à-dire avec la largeur que permet le bout de pastel. La couleur qu'on utilise ici est claire afin de pouvoir y superposer, à l'étape suivante, des tonalités plus foncées.

▼ 2. Une fois que la forme de la silhouette est réalisée, on peut superposer de nouvelles couleurs qui facilitent sa compréhension. Dans cet exemple, on trace les zones les plus sombres avec un ton un peu plus foncé que le précédent et on laisse les premières teintes en réserve. Cela ne veut pas dire qu'on ne puisse pas ajouter des teintes lumineuses, mais il s'agit là d'un développement plus avancé du dessin qui sort de notre propos.

▼ 3. Ce sont les contrastes finaux qui définissent les volumes de la silhouette.

Pour comprendre et représenter la silhouette, il s'avère très utile de consulter des livres d'anatomie artistique.

Dans le croquis rapide de la silhouette, on doit respecter les proportions de base du corps. Bien que ces mesures puissent être idéalisées et varier selon la constitution du modèle, on doit prendre en compte les proportions pour toute étude de silhouette, au moins pour avoir une bonne connaissance de celle-ci.

LE CALCUL DES PROPORTIONS

C'est le calcul des proportions entre les parties de l'anatomie de la silhouette qui permet le développement le plus complet du croquis. Quand il s'agit de faire des croquis, il est très important de savoir que les proportions des différentes parties du corps gardent une étroite relation entre elles et que, suivant la façon dont elles sont représentées sur le papier, la silhouette semblera plus ou moins bien proportionnée. Une tête trop grande ou trop petite, tout comme la démesure d'une partie quelconque du corps, reviendrait, pour ainsi dire, à caricaturer la silhouette.

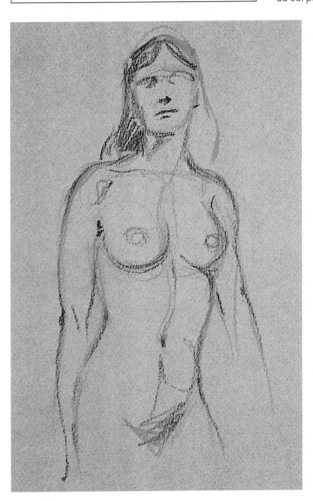

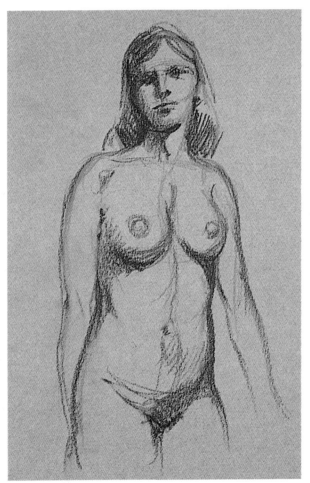

▼ 1. *Observez sur cette illustration la relation existant entre la tête et la carrure. Cette mesure donnera toute la largeur du corps ; il s'agit donc d'un aspect très important. Les épaules marquent habituellement la dimension maximale du tronc, laquelle diminue à la taille.*

▼ 2. *Même si la silhouette représentée est de forte constitution, ce qui importe réellement c'est sa structure interne. Si on compare cette illustration à la précédente, point de départ de l'exercice, on peut noter un changement considérable de l'anatomie. Bien que la pose soit identique, la structure interne est celle qui indique les lignes principales. Quoique cette silhouette soit de plus forte corpulence, les lignes internes correspondent à la même structure que précédemment.*

LA MISE EN PLACE À PARTIR DE LIGNES

La meilleure façon d'approcher le modèle est de partir de la mise en place. Même si celle-ci est l'une des techniques du dessin, quel est le procédé pictural qui peut se passer du dessin dans son développement initial ? La réponse est catégorique : aucun. Jusqu'à maintenant, on a pu voir que l'esquisse de départ facilite le travail dans les natures mortes et dans certains éléments du paysage, mais elle sert aussi à développer le croquis et la silhouette de manière plus générale.

1. Des « cases » permettront de schématiser de façon synthétique toutes les poses aussi complexes soient-elles. Cette façon de commencer à mettre en place la silhouette s'avère très utile pour développer un croquis de manière progressive et sûre. Ces quelques lignes sont faciles à réaliser et à comprendre, beaucoup plus que de s'attaquer directement à la silhouette.

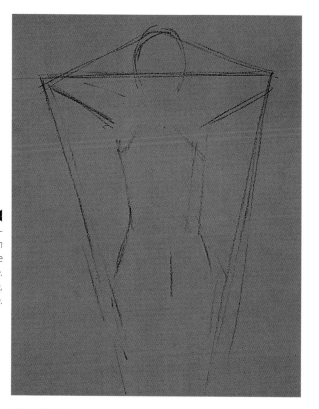

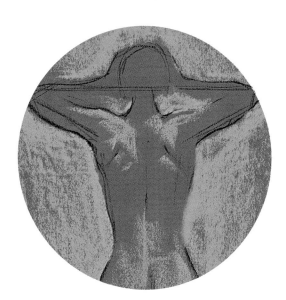

▼ *2. Une fois qu'on a dessiné la case où l'on va développer la silhouette, il ne sera pas difficile de situer les formes progressivement ainsi que les autres éléments à leur place précise. On procède pour cette nouvelle étape par traits schématiques sans prétendre à une finition minutieuse. Ce qui importe, c'est la compréhension des formes, du général au particulier.*

3. Les traits qui ont servi pour construire la silhouette peuvent s'effacer ou être couverts avec du pastel. On situe les zones de lumière et les contrastes qui donnent le volume de la silhouette. La couleur du papier s'intègre à l'ensemble.

LE VOLUME DANS LE CROQUIS

La manière de faire des croquis n'a aucune raison de se soustraire à une représentation qui inclut certaines caractéristiques de l'étude de la lumière et, bien entendu, du volume. Bien que le croquis ait toujours un caractère rapide et presque spontané, il est possible également, grâce aux caractéristiques propres au pastel, de réaliser des fondus et un certain modelé. Il est bien évident qu'il ne faut pas trop insister, pour ne pas altérer la fraîcheur du pastel et le traitement général du croquis.

▶ **4.** *Comme on l'a vu au début de cette étude, on peut commencer le croquis à partir d'un tracé sur le chant du pastel qui permet un dessin sûr, tout en aidant à la compréhension des formes de la silhouette. Si le papier est de couleur, comme c'est le cas ici, l'utilisation du fond permet à cette couleur de s'intégrer parfaitement au développement des formes, pour suggérer ainsi les volumes principaux.*

> Les zones foncées principales se superposent sur le croquis de façon que les sources de lumière soient parfaitement définies sur toute la silhouette.

▶ **5.** *Pour finir, on applique les principaux points de lumière qui agissent comme zones de grande luminosité. Comme on peut le voir, il n'est pas nécessaire d'utiliser du blanc pur pour rechercher le volume dans le croquis. À sa place, on peut choisir des tonalités très claires qui serviront de transition entre les tons moyens et les zones de plus grande luminosité. Si on utilise un blanc pur, il faut l'appliquer dans des zones bien précises. Comme on a recouvert la plus grande partie du papier, les zones qu'on observe s'intègrent dans le volume de la silhouette.*

pas à pas
Étude d'une silhouette

La mise en valeur des objets est réalisée grâce à des tracés gris dans les zones d'ombre et à des touches blanches dans les zones de lumière. Ici on a choisi un modèle féminin pour s'exercer à l'étude de silhouette avec des rehauts de couleur blanche. L'effet produit en utilisant une seule couleur et des touches de pastel blanc s'avère très volumétrique. Si on ajoute à cela l'utilisation d'un papier de couleur, l'effet est d'un grand réalisme. Dans cet exercice, on utilise une gamme de couleurs très limitée pour mettre en pratique le modelé dans la silhouette, sans que la couleur suppose une entrave importante à sa réalisation.

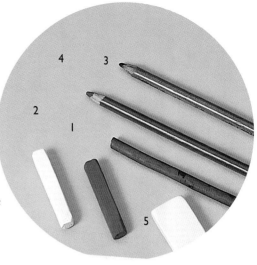

MATÉRIEL NÉCESSAIRE

Pastel sanguine (1), pastel blanc (2), crayons pastel (3), papier de couleur Havane (4) et gomme (5).

1. *On combine les traits sur le chant du pastel et ceux tracés sur son extrémité pour esquisser les formes et affiner le dessin. On dessine les cuisses et la forme des mollets avec des lignes fines, puis les premières lignes qui définissent les traits du visage et les cheveux, pour finir avec le nez et la bouche. Dans ces zones où il faut une certaine précision, on utilise l'arête du pastel, ce qui donne un dessin beaucoup plus précis.*

2. *Sans frotter excessivement, on atténue les traits les plus évidents avec le bout des doigts et on suggère les volumes principaux avec des touches qui laissent encore transparaître la couleur du papier. Ainsi, les zones de lumière principales sont parfaitement situées. Avec le bord de la gomme, on fait ressortir de façon beaucoup plus précise les parties estompées. On trace des gris sur les ombres de la poitrine, sur la partie arrière de la tête et sur le bras levé. La silhouette ressort sur le fond largement estompé.*

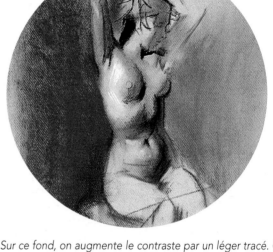

3. *Sur ce fond, on augmente le contraste par un léger tracé. Ce mélange est à nouveau fondu avec le doigt. On fond les contrastes les plus visibles avec un pastel de couleur sanguine. A l'aide d'un léger estompage foncé, on modèle la zone du ventre. On colore à nouveau le fond et on l'estompe. Avec du blanc, on indique les premiers reflets dans la zone de la poitrine et du flanc tandis qu'avec un pastel noir, on augmente le contraste du ventre qu'on fond avec les doigts.*

4. *Avec le pastel noir, on augmente le contraste des ombres les plus foncées. De cette façon, les points de lumière sont beaucoup plus lumineux. Après chaque réalisation d'une ombre, on fond la teinte avec les doigts sur le fond pour modeler ainsi la forme de la silhouette. Avec la gomme, on crée de nouveaux reflets qui sont comme des traits directs de lumière sur le flanc et le pubis. On rend les reflets principaux avec des impacts de blanc.*

5. *On indique les reflets les plus accentués de la zone du visage, les parties foncées de celui-ci étant effectuées avec une teinte de couleur sanguine. Avec un crayon pastel noir, on esquisse le front, le nez et la bouche. Sous la tête, on applique un blanc très lumineux que l'on fond doucement sur la couleur du papier. À gauche, on procède à un nouvel estompage de couleur sanguine, qui comprend la zone occupée par le bras levé. On colore toute la zone de l'assise avec le chant du pastel blanc, on augmente également les contrastes sur le bras et le nombril. On modèle la cuisse avec le doigt, sans éliminer entièrement la forme du dessin initial. Avec le crayon pastel noir, on esquisse les formes du corps.*

6. *On achève le visage en ajoutant des reflets et en augmentant les teintes foncées. Les reflets de la main gauche sont rendus par touches directes de blanc et on définit les doigts. Avec le crayon pastel de couleur sanguine, on définit les traits du visage. Si on regarde avec attention la mise en place de la silhouette, on remarque qu'il existe une petite erreur de proportion dans la longueur des jambes. Cela ne pose aucun problème puisque le pastel peut se corriger à tout moment.*

Si on utilise généralement du papier de couleur dans les travaux au pastel, c'est parce que cette couleur s'intègre aux teintes avec lesquelles on réalise la peinture et s'intègre parfaitement à l'ensemble comme s'il s'agissait d'un élément chromatique supplémentaire.

7. *Les détails de la silhouette sont rendus avec des touches foncées et claires légèrement fondues sur le fond. Les zones lumineuses des teintes moyennes des jambes sont rendues avec des impacts directs de couleur sanguine. Les contrastes dans la finition sont réalisés en noir et les zones d'ombre sont modelées grâce au fondu sur le fond. Avec un pastel blanc, on dessine quelques reflets directs sur les genoux et le talon. Pour finir, on fait ressortir le fond dans la zone des mains avec le pastel de couleur sanguine.*

SCHÉMA - RÉSUMÉ

Avec le pastel de couleur sanguine, on fait ressortir le fond dans la zone des mains.

Ce reflet précis qui arrondit le ventre renforce par contraste les teintes moyennes. Les reflets n'indiquent pas seulement la direction de la source lumineuse mais permettent aussi de décrire la texture de la peau.

Création de reflets avec la gomme. Cet outil est d'une grande utilité dans tous les exercices au pastel. Il permet non seulement de corriger, mais aussi de réaliser des reflets à partir de la couleur du papier.

Détail du reflet du genou. Comme on peut le voir ici, il suffit d'une petite touche pour donner l'impression que l'on a travaillé dans le détail.

Les couleurs de la peau

LES LIGNES PRINCIPALES

L'étude de croquis nous a permis de bien comprendre comment on doit structurer une silhouette. On partira ici de cette base pour développer la forme selon les points suivants. Vous prêterez une attention particulière à l'assemblage des lignes et à la manière dont celles-ci sont développées à partir de formes très élémentaires.

> **La silhouette est un sujet d'une grande complexité, aussi bien dans son aspect le plus élémentaire au moment de la mise en place, que dans les phases les plus avancées de son élaboration, comme la carnation de la peau ou la recherche du modèle à partir des zones d'ombre et de lumière.**

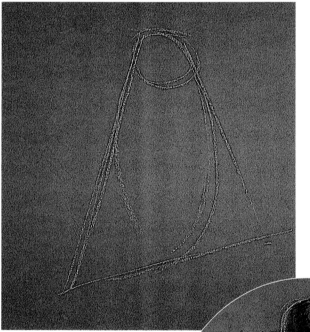

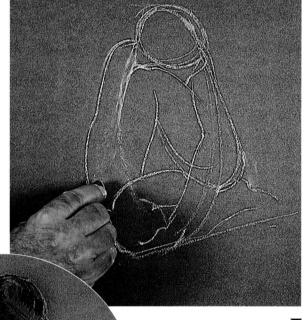

▼ 1. *Dans le premiers travaux que l'on réalise, ou quand on est encore inexpérimenté, les lignes et les schémas aident beaucoup à amener les formes ultérieures.*

3. *Une fois que le dessin est parfaitement défini, on peut fixer cette première étape du travail. Le fixatif aidera à préserver le dessin quels que soient les changements, aussi appuyés soient-ils, qu'il subisse plus tard.* ◄

▼
2. *La silhouette est ébauchée dans le schéma initial et les formes géométriques sont développées de plus en plus pour gagner en exactitude. Une fois que les lignes principales sont définies dans le schéma, celui-ci devient inutile et il faut alors l'effacer. Il n'est pas nécessaire d'effacer toutes les lignes, mais seulement les lignes superflues qui peuvent engendrer une confusion.*

▶ **1.** *Les premiers tons que l'on applique ont pour fonction d'établir les différences entre les zones d'ombre et les zones de lumière. C'est pourquoi il faudra partir des couleurs appropriées. Dans cette première étape, il ne faut pas trop contraster les couleurs, car, même si le pastel est complètement opaque, on risque d'obtenir une base de fusion trop sale. En outre, les couleurs pastel présentent une gamme suffisamment riche pour permettre un premier découpage des tons assez subtil.*

DES COULEURS POUR LA PEAU

Les couleurs de la peau sont très variées, puisqu'elles dépendent beaucoup de la lumière qui éclaire le modèle. Afin de poursuivre l'exercice précédent, on appliquera de la couleur sur la silhouette. Observez comment on traite la lumière et les ombres et comment on renforce les éclats de lumière ou comment on les nuance afin d'en atténuer la présence. La palette de couleurs peut être aussi large que l'artiste le désire ou que son travail l'exige.

3. *Comme on peut le constater, les couleurs chair présentent des nuances froides et chaudes. Les bleus peuvent servir à mettre en relief une peau fine et lisse. Enfin, dans cette étude de la carnation, on peindra les rehauts et les éclats de lumière ayant le plus d'impact ainsi que les ombres. Certaines zones sont fondues avec les couches de pastel inférieures, tandis que d'autres gardent leurs impacts directs de couleur.*

▲

▶ **2.** *Une fois les premiers tons de la peau appliqués sur la silhouette, on ajoute les couleurs les plus foncées sur les ombres. À certains endroits, on a intérêt à ce que le contraste entre zones lumineuses et zones sombres ait suffisamment d'impact. En revanche, à d'autres endroits, il est préférable de fondre les tons.*

La couleur de la peau dépend en grande partie de la façon dont le modèle est éclairé, car les reflets en découlent.

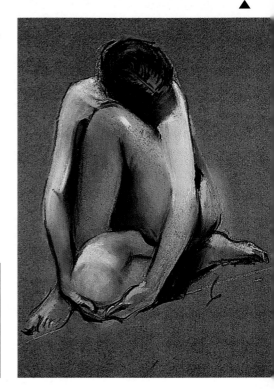

DÉTAILS ET CONSEILS

Ici, on étudie, entre autres points se rapportant à la peinture d'une silhouette, comment les éclats de lumière et les rehauts permettent une représentation du modelé étonnante sur un papier de couleur. Le volume que l'on peut obtenir avec ce procédé de rehaut permet de peindre avec beaucoup de réalisme. Nous vous proposons donc un nouvel exercice dans lequel on appliquera ces procédés.

◀

1. Pour mettre en place la forme générale et obtenir un croquis de base qui décrive le modèle, ici une silhouette de femme de dos, on trace quelques lignes simples avec un pastel de couleur sanguine. Il est important de construire chaque partie du corps avec patience et de tenir compte, pour chacune, des formes essentielles comme des proportions des lignes internes.

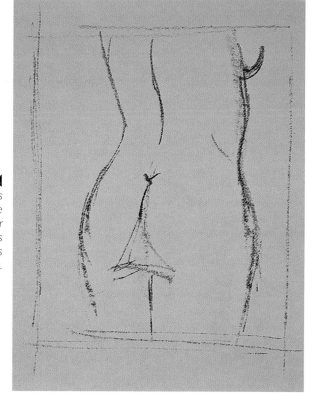

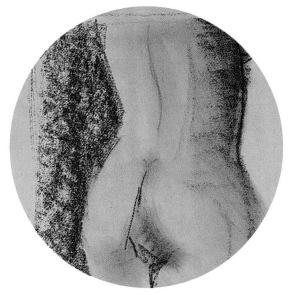

◀ *2. En suivant un tracé très simple et élémentaire, on trace des traits sur les zones sombres. Ainsi, les zones de lumière et les zones d'ombre sont-elles parfaitement déterminées. Le corps se détache sur les zones sombres et le fond du papier s'intègre complètement au ton moyen du volume.*

◀

3. On renforce les contrastes avec un pastel noir. Après l'avoir fondu, on ouvre des zones de lumière avec la gomme en appliquant des impacts directs de blanc. Comme on le voit dans cet exemple, la représentation des reflets de la peau ne pose aucun problème. On obtient la couleur de la peau à partir de la couleur du papier.

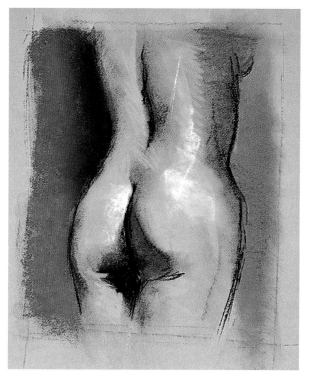

POSSIBILITÉS DE TRAITEMENT

On verra maintenant comment réaliser une silhouette de trois manières différentes selon la façon dont on appréhende le pastel en tant que moyen d'expression pictural. Les trois points que nous allons développer sont un point de départ à l'élaboration très synthétique de la silhouette. Tout d'abord, la mise en place se fait avec un seul ton. On y recherche uniquement la construction des ombres. Dans les phases suivantes, on interprète la couleur grâce à la superposition de couches.

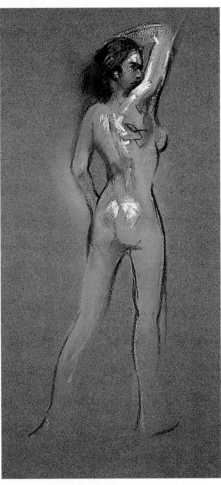

▼ 1. On esquisse la silhouette avec le chant du pastel. Ce type de tracé permet un dessin rapide et bien construit. Avec le bout des doigts, on fond quelques zones sur le papier. Avec des traits directs, on finit de délimiter les zones que l'on veut rehausser.

▼ 2. La silhouette précédente va servir de base à de nombreuses modifications ou à ce que l'on pourrait considérer comme une autre orientation. Comme le premier travail est la base du suivant, on peut appliquer une couche de fixatif. Avec des couleurs lumineuses et brillantes, on peint la silhouette en traits très directs qui ne seront fondus nulle part. Observez comment on produit des empâtements de couleur qui restent intacts alors que l'on fait de nouveaux traits par-dessus.

▼ 3. Le travail pourrait en rester à l'étape précédente ou prendre encore une autre orientation. Certaines zones sont fondues, tandis que d'autres restent intactes et présentent un tracé énergique qui met en relief toute la carnation de la silhouette, appréhendée d'un point de vue coloriste.

pas à pas
Silhouette

L'étude de la silhouette est l'un des sujets les plus passionnants que l'on puisse traiter quel que soit le moyen d'expression pictural. Le pastel permet d'aborder ce sujet d'une manière plus directe que n'importe quelle autre technique, justement par le potentiel graphique qui le caractérise. Nous proposons ici un exercice d'étude d'une silhouette à partir d'un croquis au naturel. Comme on le voit, on a ajouté des lignes sur le modèle afin que le pastelliste amateur ait de bons points de repère pour synthétiser les formes.

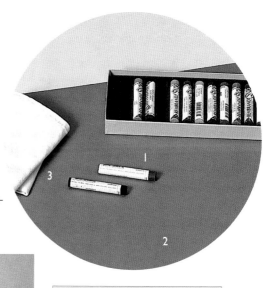

MATÉRIEL NÉCESSAIRE
Pastels (1), papier tabac clair (2) et chiffon (3).

1. *Sur le schéma sur lequel les formes sont seulement mises en place à l'aide de quelques traits très généraux, on commence à appliquer la couleur de la silhouette. Chaque fois que l'on choisit un papier de couleur, celui-ci a une influence déterminante sur le reste des couleurs utilisées. Ainsi, pour délimiter la forme de la silhouette, on peint ses contours d'un ton très clair.*

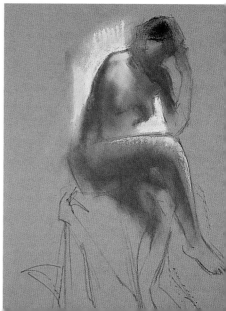

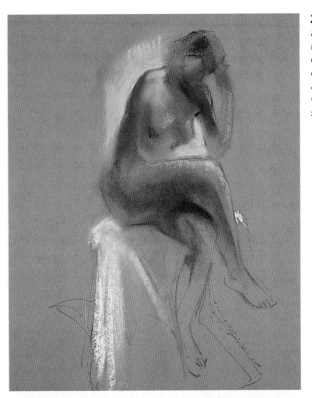

2. *La couleur lumineuse qui fait ressortir la silhouette permet au ton du papier de s'intégrer comme une couleur de plus à l'ensemble. Observez attentivement comment le ton moyen descend de la cuisse au genou. Il correspond à la couleur du papier et sera conservé jusqu'à la fin. Les couleurs qui sont appliquées sur la silhouette ne sont pas choisies au hasard. Ces apports de couleur permettent de situer les tons principaux sur toutes les zones claires et sur toutes les zones foncées.*

3. *Observez attentivement la correspondance de chaque couleur avec les divers plans de lumière. Chaque éclairage est représenté par une couleur différente. Les reflets les plus importants sont situés sur l'épaule droite. Ils sont peints avec un rose orangé très lumineux. Les ombres les plus profondes sont réalisées, pour l'instant, dans une tonalité sanguine. Sur la jambe, l'avant-bras et la zone supérieure de la poitrine, on intervient avec un orange, dans des zones parfaitement délimitées. Comme pour le moment, il importe peu que les zones soient très définies, les contours des tons sont fondus avec le bout des doigts.*

4. *Une fois que l'on a appliqué les tons principaux et que l'on a fondu les bords, on les contraste un peu plus pour affiner les formes du modèle. Les zones les plus sombres, comme l'ombre sous le bras, sont peintes directement avec du noir, sans trop forcer le contraste. Observez l'ombre sous la jambe. Les ombres les plus légères sont effectuées avec du bleu, ce qui en fait un gris sale.*

5. *D'autres ombres traduisent les tons moyens de la peau de la jambe. Elles sont réalisées avec une terre d'ombre dorée, mais sans couvrir entièrement la couleur du papier. Maintenant, on passe à la réalisation beaucoup plus facile de toute la zone lumineuse de la jambe, où la partie éclairée se détache pour descendre jusqu'au pied. Il est important de placer les premiers points de lumière, définitifs au niveau du genou, car ils serviront de points de repère pour la réalisation des reflets les plus importants de la peau.*

6. *L'ombre sous le bras semble presque trop contrastée, c'est pourquoi on l'atténue avec le bout des doigts sans retirer complètement la couleur. Les reflets du genou servent de points de repère pour placer de nouveaux points lumineux sur l'épaule droite du modèle.*

Les reflets de la carnation qui dépendent de la luminosité de l'ensemble ne sont pas interprétés en blanc, car la peau constitue son propre filtre de lumière. Les meilleurs résultats sont obtenus en employant des couleurs lumineuses, comme le jaune de Naples.

7. *On peint le contour de la jambe en blanc pur de façon que celle-ci ressorte parfaitement. Pour achever l'exercice, on ajoute quelques reflets, comme, par exemple, le ton rosé de l'abdomen ou les reflets du genou. Comme on peut le voir dans cette technique « pas à pas », pour obtenir une bonne carnation de la peau, il faut utiliser une bonne gamme de couleurs et se servir également de la couleur du papier dans les teintes choisies. On reflète ainsi l'atmosphère du tableau. Les couleurs choisies, même variées, tendent à appartenir à une même gamme chromatique, avec tous les contrastes qu'elles peuvent apporter, et sans jamais écarter la possibilité d'employer d'autres harmonies de couleurs, en l'occurrence le bleu.*

SCHÉMA - RÉSUMÉ

Le ton lumineux que l'on applique sur les contours de la silhouette permet d'intégrer le papier à l'ensemble des tons utilisés.

On choisit les tons en fonction de la luminosité du plan. Par exemple, le ton est le même dans la zone sombre de la cuisse et dans celle du bras.

Un **blanc lumineux** fait ressortir la jambe et renforce l'impression de contraste entre le fond et la silhouette.

La couleur du papier est intégrée aux ombres moyennes des jambes.

Comment Edgar Degas
utilisait le pastel
(Paris 1834 - 1917)

Arabesques

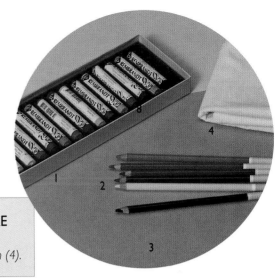

Degas fut l'un des plus grands maîtres impressionnistes, se distinguant tour à tour par ses dessins, ses peintures ou ses sculptures. Après une première étape dans sa création marquée par des sujets historiques, il entra en contact avec les impressionnistes sur les traces de Manet. Ce qui fait tout l'intérêt plastique des œuvres de Degas est avant tout sa manière de saisir la lumière et l'instant. Il mêle la subtilité des fondus à l'expressivité de l'impact direct. Il peut ainsi prendre l'éclairage artificiel d'une scène ou les textures qui lui sont propres comme sujets.

MATÉRIEL NÉCESSAIRE

Pastels (1), crayons pastel (2), papier marron clair (3) et chiffon (4).

Les danseuses et le monde du théâtre sont les sujets de prédilection de Degas. Il y a une double raison à cela. Il pouvait alors étudier les différents effets de l'éclairage artificiel et saisir ainsi l'instant comme si le tableau avait été une photographie. L'œuvre de Degas est intéressante, car il fut l'un des plus grands pastellistes de notre temps et l'on peut étudier sa façon d'interpréter la lumière et les formes à travers la couleur dans un tracé pur et direct. Les zones de lumière permettent des contrastes forts, et si l'on ne peut pas parler de clairs-obscurs, la transition entre les tons est à peine visible. Cette caractéristique de sa peinture est renforcée avec la technique du pastel qui lui permet un travail direct, où les tons clairs peuvent se superposer aux tons les plus foncés.

1. *Le dessin est un point si important dans cet exercice que, sans lui, il serait impossible de placer chacun des éléments de la composition. Comme on le voit, cette première étape est complètement linéaire et bien qu'elle soit réalisée avec un tracé que l'on pourrait faire au crayon, elle a été dessinée avec l'extrémité du pastel, sans autre but que le tracé d'une ligne simple et propre. Degas réalise la mise en place et l'étude de la composition en même temps. Un trait semblable au premier permet de développer les silhouettes en mouvement.*

2. *Comme le faisait ce grand artiste, les premières couleurs sont appliquées pour servir de base aux suivantes et pour faire ressortir les formes sur le papier. Une fois que le dessin est complètement stabilisé, tant dans ses proportions que dans sa composition (précisons que cet exercice ne reprend pas le tableau dans son ensemble, mais seulement en partie), on peut commencer à effectuer les premiers traits et les premiers aplats de couleur. D'abord, on traite les zones qui semblent être les plus faciles, comme les ombres du fond. On peint aussi les tutus des danseuses qui font l'arabesque. Cet effet est particulièrement intéressant à rendre, car on commence avec du bleu, puis du vert pour obtenir, par effet d'optique, la couleur vert émeraude lumineuse de l'original.*

La fusion des couleurs doit être réalisée avec le plus grand soin pour éviter qu'elles soient mélangées sans que ce soit nécessaire. Les tons les plus sales peuvent alterner avec des tons d'une grande luminosité.

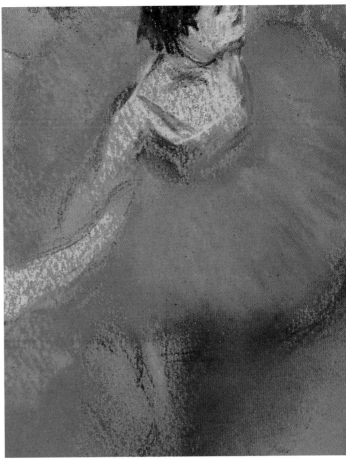

3. *En fin connaisseur de la technique, Degas sait saisir l'instant. Pour cela, il combine l'impact de couleur et la mise en réserve du fond. La couleur du papier est présente partout où l'on n'a pas saturé le grain du papier en appuyant trop sur le pastel. Ainsi, si on applique le pastel en douceur, on peut voir le fond transparaître à travers les aplats de couleur. Toujours avec cette technique, on peint la couleur de la peau des silhouettes. On utilise pour cela un rose très lumineux et la couleur du papier joue sur l'effet d'optique. Sur le fond, on commence à appliquer les couleurs de la tenue des danseuses en traçant des traits orange que l'on fondra ensuite.*

4. *Toute la partie inférieure du tableau est peinte dans une couleur légèrement sale que l'on obtient en mélangeant directement un peu de bleu et de noir sur le papier blanc. Ces couleurs sont fondues avec le bout des doigts jusqu'à couvrir complètement le grain du papier pour éliminer toute trace de la couleur du fond. Avant d'appliquer les impacts de couleur, l'artiste fond une des couleurs, comme celle des tutus, sur laquelle filtre la lumière estompée. Dans cette zone, on fait en sorte que le gris sale du premier plan vienne parfaitement mettre en relief les contours du tutu.*

La couleur du papier doit transparaître entre les traits les plus denses du pastel. La couleur du fond permet, en effet, de créer une certaine atmosphère propre à l'ensemble du tableau.

155

5. *Degas apporte à l'impressionnisme une étude magistrale de la lumière sur les personnages. Parfois, il réalise les plans les plus éloignés à l'aide de simples aplats semi-fondus. Dans ce détail, on peut voir comment on commence à esquisser les silhouettes les plus reculées. Le marron foncé, qui a été utilisé au début, laisse à peine entrevoir la forme des deux personnages. Maintenant, en appliquant les couleurs les plus claires pour leur peau, leur silhouette est beaucoup mieux définie. Elles restent vagues mais, vu leur taille, il est indiqué de les peindre au crayon pastel. Il offre un trait plus dur et sa pointe facilite la réalisation de détails ou de traits plus graphiques.*

Les crayons pastel sont des outils très délicats dont il faut prendre soin. Quand leur pointe est usée, il faut les tailler avec un cutter.

6. *Avec des verts, on affine le fond autour des silhouettes de gauche. Les formes que l'on estompe sur le fond sont très schématiques et c'est la couleur qui les entoure qui les anime. Pour l'instant, les détails ne sont pas encore traités.*

7. *Avec un crayon pastel foncé, on commence à affiner les silhouettes du fond. Ce sont précisément ces petits apports de contraste qui permettent de définir les traits des danseuses à base de petits aplats de couleur qui font encore mieux ressortir la forme des visages et affinent les membres qui se détachent, lumineux, sur un fond sombre. Comme on associe le trait du crayon pastel au pastel, on peut obtenir une texture très caractéristique, en traçant chacune des zones dans un sens. Avec des traits libres et très éclatants, on commence à peindre toute l'ornementation du tutu.*

8. *En peignant le fond autour des silhouettes, on les délimite mieux et c'est la couleur du papier qui est mise en avant dans la gamme des couleurs choisies. Il ne manque plus que quelques apports de zones claires et de zones noires peu définies pour que les silhouettes acquièrent assez de présence. Les zones les plus lumineuses sont peintes avec des tonalités de pastel presque blanc, qui ne va jamais jusqu'au blanc pur.*

9. Dans cette dernière étape, Degas met en relief le caractère le plus impressionniste de la peinture. Pour cela, il utilise des couleurs pures qui contrastent entre elles. Ces couleurs, il les applique à l'aide de gros impacts qui se superposent. Les traits que l'on peint maintenant sur le tutu sont beaucoup plus éclatants que les précédents. Cette fois, on emploie un pastel en bâton, qui permet un empâtement plus expressif et bien plus direct que le crayon pastel. La délimitation des formes vient compléter le visage de la danseuse principale, ainsi que toutes les parties de l'anatomie des autres danseuses. Avec un pastel bleu, on réalise des aplats sur quelques zones, que ce soit sur les tenues ou sur la peau, pour refléter l'atmosphère de l'ensemble. Enfin, on dessine le sol dans un tracé incliné très lumineux.

SCHÉMA - RÉSUMÉ

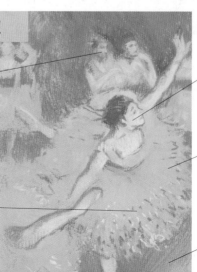

Le fond fait ressortir les silhouettes qui semblent beaucoup plus lumineuses par contraste.

Les traits du tutu de la silhouette principale sont tracés avec des couleurs éclatantes et très lumineuses.

La couleur chair est très lumineuse et on peut voir la couleur du papier au travers.

Le tutu est peint avec deux couleurs différentes qui permettent d'obtenir un ton émeraude. Il n'est pas nécessaire de trop les mélanger.

Sur le sol, on réalise un tracé incliné très clair qui donne de la texture à la surface.

Comment Claude Monet
utilisait le pastel
(Paris 1840 - Giverny 1926)

Le pont de Waterloo à Londres

Monet fut l'un des plus grands peintres impression-nistes. Il est considéré comme le principal précurseur du mouvement, qui doit son nom à son œuvre *Impression, soleil levant* (1872). Les théories impressionnistes (sur la com-préhension de la lumière, les impacts de couleur, etc.) furent développées par Monet tout au long de sa carrière et son œuvre influença les peintres de sa génération, mais, aussi ceux d'aujourd'hui.

Le pastel permet d'envisager une application de la couleur aussi variée qu'il existe de procédés en art plastique. Non seulement ce moyen d'expression est aussi performant d'un point de vue pictural que la peinture à l'huile ou tout autre technique, mais, comme on peut le voir sur ce croquis rapide, il permet aussi de s'approcher de l'aspect direct et spontané du dessin. Le pastel présente en outre l'avantage de recourir à des procédés uniques en leur genre, comme la superposition des tons clairs sur les tons foncés ou la fusion des couleurs. Monet, pour sa part, utilise la technique des contrastes simultanés dans cet exercice sur la lumière, simple mais non moins spectaculaire.

MATÉRIEL NÉCESSAIRE
Papier terre de Sienne (1), pastels (2) et chiffon (3).

1. La fraîcheur du pastel permet de l'utiliser d'un point de vue plastique comme une technique de dessin comme une autre, sans que l'on puisse faire la différence. Il s'agit ici d'un croquis rapide, dans lequel on essaie de saisir l'essence de ce pont très connu, sans entrer dans les détails, mais en ne retenant que l'effet qu'il produit quand on l'observe à travers la brume londonienne. En dépit de son apparente simplicité et même s'il ne s'agit pas de s'attacher aux détails, le dessin doit être fait avec le plus grand soin. On représente donc d'abord le pont en super-posant des traits très souples sans définir aucune forme.

2. Monet a travaillé ce tableau en ne dessinant presque rien au préalable, comme c'est le cas ici. On applique d'abord de la couleur sur la zone de l'eau à l'aide d'un aplat de blanc estompé, qui ne doit à aucun moment couvrir la couleur du papier, ce qui signifie que l'on n'appuiera pas trop sur le pastel. Il est fortement conseillé d'utiliser le chant du pastel pour tracer des traits dans le sens de la largeur et de fondre les tons immédiatement après avec les doigts. On peint le pont de la même manière, mais avec des couleurs lumineuses : un violet très clair permet de colorer l'intérieur du pont. Sur la droite, on applique le même violet, mais avec un trait direct.

3. *Dans cette œuvre, ce ne sont pas les objets que Monet essaie de développer, mais leur luminosité et il y parvient grâce aux contrastes que produit la lumière sans définir tout à fait les formes. Dans ce détail, on peut observer comment sont dessinés les reflets à la surface de l'eau. Le pont est tracé dans un zigzag rapide, avec l'extrémité du pastel sur lequel on appuie de moins en moins à mesure que l'on descend. Si le trait est trop visible, on peut l'estomper délicatement avec le doigt pour l'intégrer au fond.*

4. *La superposition des procédés est une constante dans toute la technique de la peinture au pastel. Grâce au pastel, Monet peut enchaîner les procédés et réaliser ainsi des impacts de lumière qui sont à l'origine des contrastes simultanés. Sur une couche immédiatement estompée, on en applique une autre qui peut être directe et très précise. C'est le cas dans l'œuvre qui nous occupe. Dans le même bleu que celui de l'esquisse du pont, on remplit des zones avec un tracé beaucoup plus direct. Le trait se superpose au ton estompé d'avant qui fait maintenant office de couleur de fond.*

5. Les arcades du pont sont rehaussées par la présence d'un contraste important grâce à un bleu et au renforcement des zones claires. Comme on travaille sur un papier de couleur pour que les couleurs et les tons gagnent en pureté et en luminosité, on peint jusqu'à saturer quasiment le grain du papier. Ainsi la couleur appliquée apparaît dans toute sa pureté sans que celle du papier n'interfère comme un filtre. À la manière de Monet, l'esquisse de départ est conservée de sorte que ce soient les impacts de lumière qui insinuent les formes.

6. Avec un trait rapide et souple, on couvre la majeure partie du pont, de façon à faire vibrer la couleur du pastel quand elle entre en contact avec la couleur du papier. Dans la zone supérieure du tableau, on applique des tonalités très lumineuses dont le violet clair et l'ivoire, sans toutefois en arriver au blanc pur pour ne pas engendrer de contrastes trop forts. Avec le bout des doigts, on fond quelques zones de la composition, de façon que l'effet de brume soit manifeste.

7. *Dans cette étape, le dessin est beaucoup plus évident que dans les précédentes. Jusqu'ici, traits et aplats constituaient la base du travail, complétés par des zones plus ou moins estompées, mais il ne s'agissait pas encore d'accentuer les formes en jouant sur les contrastes. Or ce tableau joue sur l'interprétation des contrastes par les différentes plages de lumière, même si, à quelques endroits, on peut déceler une certaine volonté de rechercher le volume, comme, par exemple, sur l'arcade de gauche. Dans ces zones, on insiste pour faire ressortir l'ombre. Les points de lumière sont particulièrement renforcés et le contraste avec les zones foncées s'en trouve accru. La réalisation de l'eau est très graphique et se fait avec l'extrémité du pastel.*

8. *Jusqu'à présent, il n'est pas nécessaire de faire ressortir les points où la luminosité est la plus forte. Bien qu'en pastel les corrections puissent être apportées à tout moment, dans un travail rapide comme celui-ci et dans lequel les nuances sont estompées sur le fond, il est important de savoir appliquer les touches de lumière progressivement. Les impacts de blanc pur sont appliqués avec mesure, même s'ils produisent un contraste plus qu'évident avec les bleus, voire avec le papier. Pour Monet, il s'agissait de saisir la lumière plus que de concrétiser les formes. Observez comment les impacts de blanc donnent toute sa profondeur à l'atmosphère.*

9. Les ondes de l'eau requièrent un traitement plus lumineux pour mettre l'accent sur le jeu des contrastes entre les bleus et les zones claires. En outre, si l'on renforce ces contrastes, il est possible d'interpréter la luminosité qui traverse les arcades du pont, en mettant la couleur du papier en réserve au niveau des zones les plus embrumées. Enfin, on repasse du bleu sur les zones que l'on veut faire ressortir, tandis que d'autres sont laissées en l'état pour donner l'impression qu'elles sont englouties dans l'épaisseur de la brume.

SCHÉMA - RÉSUMÉ

Le dessin très direct sert à placer les différentes parties du pont. Les traits sont imprécis et cherchent à faire vibrer la couleur par rapport au fond.

Les traits directs sur le pont permettent au fond de faire partie intégrante des couleurs utilisées.

Une partie du pont se reflète dans l'eau à l'aide de traits en zigzag.

Les contrastes les plus visibles se situent entre les ombres de l'intérieur des arcades et les zones

Comment Odilon Redon

utilisait le pastel

(Bordeaux 1840 - Paris 1926)

Le coquillage

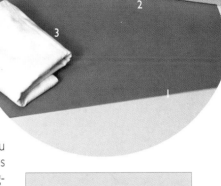

Odilon Redon a joué un rôle primordial dans les courants artistiques d'avant-garde et son influence sur les peintres qui lui succédèrent fut décisive. Avec Gustave Moreau, il fut à l'origine du courant symboliste qui donna naissance, plus tard, au courant surréaliste mené, entre autres, par Salvador Dali.

Odilon Redon a sans doute été séduit par le pastel, son aspect fondu et ses impacts de couleur très contrastés, car il l'utilise dans une grande partie de son œuvre. Le réalisme du tableau joue tour à tour sur des touches très dessinées et d'autres à peine suggérées. Par ailleurs, la façon dont il intègre la couleur du papier à l'ensemble de la composition est particulièrement frappante.

MATÉRIEL NÉCESSAIRE

Papier terre de Sienne (1), pastels (2) et chiffon (3).

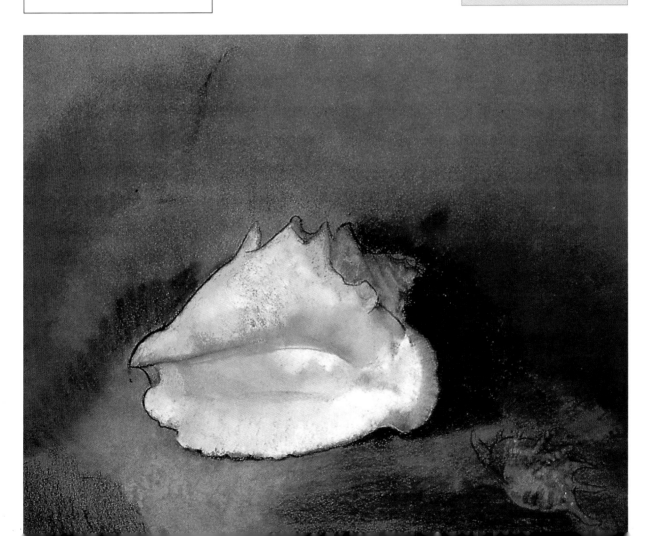

1. L'une des principales caractéristiques de cette œuvre réside dans le fait que le trait du dessin se marie parfaitement à l'aplat et à tout l'aspect pictural de l'œuvre. Cependant, le dessin n'est ni continu ni visible dans toutes les zones du tableau, mais il apparaît pour disparaître ensuite, ce qui donne à cette nature morte tout son mystère et son intérêt. Le début du dessin est réalisé sur l'arête du pastel. On ne fait qu'ébaucher les lignes et les formes principales, même si, plus tard, certaines d'entre elles seront complètement reprises par la peinture, notamment les lignes de l'angle supérieur gauche.

2. Comment commencer à appliquer la couleur ? Il semblerait qu'Odilon Redon préfère commencer par les contrastes les plus visibles et créer ainsi une base sur laquelle il pourra travailler ensuite, aussi bien avec des tons clairs qu'avec des tons foncés. Sur ce détail, on peut voir comment un rose lumineux, qui servira ultérieurement de base à la couleur nacrée de l'intérieur du coquillage, est intégré à la couleur du papier.

> Il faut prendre autant de précautions avec les couleurs claires qu'avec les couleurs foncées, car en travaillant sur un papier de couleur les deux peuvent ressortir violemment.

3. *Dans le fond qui entoure le coquillage, on applique des tons verdâtres légèrement grisés. En passant les doigts sur ces plages de couleur, on retire une partie de la couleur du dessous qui a servi de base au dessin initial. Ces lignes sont ainsi prises en charge par le fond. Le coquillage est réalisé dans une couleur ocre dans les zones les plus lumineuses, que l'on commencera à estomper avec les doigts.*

4. *Il est très important d'étudier attentivement les différents effets de fusion entre les teintes et la superposition des couches de couleur. Ce détail offre un bel exemple de la manière dont une zone d'empâtement peut s'intégrer parfaitement à la couleur du papier grâce à une fusion sur une partie seulement de ses contours, tandis que le reste continue à bien ressortir sur le fond. L'artiste aime combiner le fondu de quelques zones et leur délimitation, ce qui lui permet de créer une atmosphère presque irréelle.*

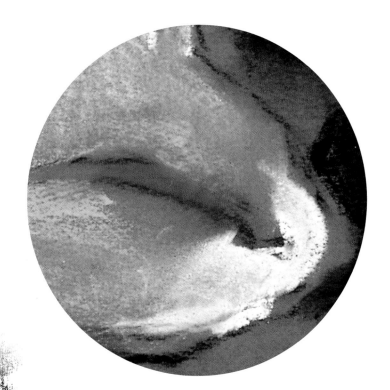

5. *On peint une ombre très marquée à droite du coquillage. Ce ton noir est estompé sur le fond avec le bout des doigts. En peignant cette zone en noir, le coquillage gagne en présence grâce aux contrastes obtenus entre les zones claires et les zones foncées. De la même manière, tous les contours des aplats de couleur sont estompés sur le fond. Désormais, c'est l'élément principal qui acquiert toute la présence. Les traits y seront visibles durant toute l'élaboration de l'œuvre.*

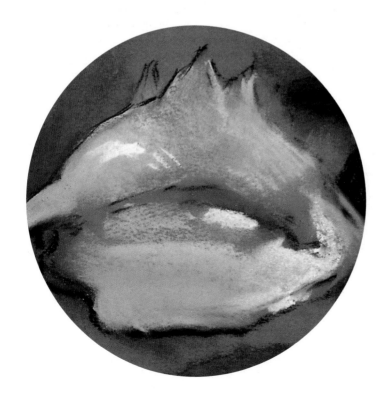

6. *On ne laisse jamais le trait disparaître complètement. Au contraire, on renforce ses contours pour que le contraste entre les deux langages picturaux soit encore plus fort. Après avoir estompé les tons blanchâtres de l'intérieur du coquillage, composé de rose et de blanc cassé, on ajoute de l'ocre clair à gauche du coquillage. Cette intervention est à nouveau fondue sur le fond et l'on ajoute de nouvelles touches de blanc cassé. Toute la partie inférieure du coquillage est rehaussée en dessinant son contour avec estompage de ses tons clairs.*

7. *Le pastel est très maniable, car, à aucun moment, il ne doit sécher sur le papier. C'est pourquoi il suffit de passer légèrement le chiffon pour éclaircir une zone sur laquelle on dessinera le petit coquillage qui se trouve sur la droite de la composition. Il ne se voit pas beaucoup, mais il vient équilibrer l'ensemble du tableau. Si le noir s'empâte trop quand on passe le chiffon, on peut se servir d'une gomme, bien qu'en l'utilisant on risque d'obtenir une zone trop claire.*

8. *Le travail principal est centré sur le fond dans lequel s'inscrit le coquillage. On applique des tonalités bleues, avec un peu de noir, voire une couleur proche de celle du papier. À ce stade, on peut voir comment Odilon Redon a introduit de subtiles fusions entre une large gamme de tons pastel. Ce jeu des couleurs donne un rythme intéressant à l'ensemble. À l'intérieur du coquillage, on estompe avec les doigts quelques zones aux contours trop marqués.*

9. On réalise définitivement les contrastes sur l'ensemble du tableau. On repasse de la couleur sur le fond pour éviter des mélanges inutiles. Le noir obscurcit les ombres les plus prononcées. Avec une couleur sanguine, on peint les parties les plus lumineuses, en permettant toutefois à la couleur du papier de s'intégrer à l'ensemble. Dans la zone inférieure du fond, on emploie un ton beaucoup plus orangé pour accentuer le contraste du coquillage.

SCHÉMA - RÉSUMÉ

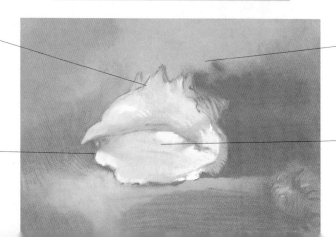

Le dessin est effectué au pastel noir, certaines zones devant découler du fond.

Sur le fond, interviennent des couleurs très contrastées avec les zones de lumière du coquillage.

Le contour du coquillage est redessiné constamment, afin que le trait reste visible.

À l'intérieur du coquillage, la base estompée est très lumineuse pour accueillir d'autres tons beaucoup plus variés et précis.

Comment Joaquim Mir
utilisait le pastel
(Barcelone 1873 - 1940)

Paysage

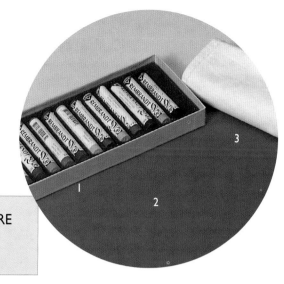

La peinture de Joaquim Mir naît dans un naturalisme lumineux propre aux pays méditerranéens. Ses sujets originels rassemblaient des témoignages d'une peinture fondée sur la marginalité et les banlieues, où les contrastes coloristes constituaient un sujet à part entière. À partir des influences symbolistes et *modern style* qui ont marqué l'artiste, son œuvre est devenue beaucoup plus énergique et fantastique.

MATÉRIEL NÉCESSAIRE
Pastels (1), papier bleu (2)
et chiffon (3).

Dans cette œuvre, Mir met l'accent sur la lumière qui filtre à travers les arbres. Avec le pastel, il peut superposer les zones de lumière aux zones d'ombre, parfois en les peignant, d'autres fois en tirant parti de la couleur du papier. Ce paysage peint au pastel montre bien comment on peut considérer cette peinture comme fraîche et spontanée, riche en notes chromatiques et en impacts de lumière. Dans l'exercice suivant, on peut distinguer différents traitements de l'œuvre. Certaines zones sont parfaitement dessinées à l'aide de traits, d'autres ne sont que des aplats de couleur sans forme. La grande complexité de ce tableau réside dans le fait que sa structure n'est pas fondée sur des plans, mais sur des aplats sans rapport évident, comme c'est le cas pour d'autres sujets beaucoup plus réalistes et figuratifs. Avant tout, il est capital d'étudier les tons des zones de lumière et la manière dont la couleur du papier transparaît à tout moment.

1. *Il faut toujours essayer de trouver la structure interne des objets que l'on va représenter. La recherche des lignes principales permet de mettre en place une structure très exacte qui en découlera. On commence cette première phase du tableau avec un pastel bleu très lumineux, pour obtenir un contraste à la fois visible et qui, par la tonalité choisie, puisse s'intégrer sans problème à l'ensemble. Mir a certainement réalisé un schéma semblable au nôtre, étant donné que le résultat final est assez abstrait et suppose une construction préalable précise.*

La mise en place peut être faite avec des tons proches de celui du papier ou avec des couleurs qui puissent s'intégrer à celles qui seront adoptées par la suite.

2. *Il était nécessaire de compléter l'esquisse précédente pour pouvoir commencer à appliquer les premiers tons sur le tableau. En appliquant les premiers tons clairs, Mir réussit à isoler les formes sur le fond. Ces premières plages de couleur lumineuse créent déjà une interactivité entre la couleur du papier et les autres teintes. Plus loin, on verra de quelle manière la couleur du papier sera de plus en plus intégrée, jusqu'à ce qu'il ne soit plus possible de l'identifier comme telle. Sur le blanc interrompu de la maison, on passe le bout des doigts pour amoindrir la présence du trait.*

3. *En fusionnant les couleurs sur le fond, Mir réussissait à intégrer complètement la couleur de celui-ci au reste du tableau. La gamme de couleurs utilisée ici appartient au cercle des couleurs froides. Le grand aplat de la partie inférieure est effectué dans une même couleur qui contraste à peine avec le bleu du papier, à l'inverse de la partie supérieure qui est réalisée de manière beaucoup plus diffuse et dans laquelle on mêle volontairement le ton de vert utilisé plus bas et le jaune de Naples.*

L'effet de fusion des couleurs doit alterner avec des aplats directs. On peut faire ressortir ainsi les formes sur le fond, dont la couleur fait croire qu'elles sont peintes.

4. *Sur ce détail, on peut observer la manière de peindre l'arbre principal du paysage. Une fois que l'on a peint le tronc en vert, une couleur qui servira de base au traitement ultérieur de la texture, on retire une partie du noir des branches avec le bout des doigts. Les deux tons se fondent de sorte que le noir de la zone supérieure des arbres soit dégradé doucement sur le vert.*

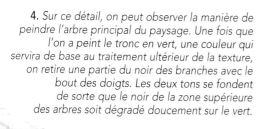

5. Les formes sont de plus en plus visibles quand on peint les premiers contrastes en noir qui se situent dans le creux de la porte et dans l'ombre de l'encadrement de l'entrée sur la droite. Grâce à cette intervention du noir, le bleu du papier s'intègre encore plus à l'ensemble des couleurs du tableau. En même temps que le noir, on utilise du blanc qui permet des impacts très lumineux sur le sol. Avec le bout des doigts, on fait des empâtements et on fond les couleurs qui n'étaient jusqu'ici qu'une suite de traits. Mir a fait apparaître la lumière par des apports progressifs de couleurs très lumineuses, les faisant alterner avec les traits foncés et la couleur même du papier. On peut observer cette phase de son travail au niveau des aplats lumineux du sol.

6. Sur l'arbre principal, les traits sont tracés après avoir accentué le contraste qui permet de le définir sur le fond. La découpe foncée que dessine la forme du tronc est fondue en partie vers l'intérieur de celui-ci. L'écorce est peinte d'un bleu proche de celui du papier, sur lequel on repasse un vert.

7. *Avec de l'ivoire, on peint les parties blanches des murs sans toutefois appuyer trop pour laisser transparaître le fond à plusieurs endroits. Ces tons blanchâtres sont estompés sur le fond pour en atténuer les bords. Comme on veut que le bleu reste visible, il faut avoir recours à un pastel bleu qui, appliqué avec précision, facilite l'intégration de diverses zones à la couleur du papier, considéré ici comme une zone d'ombre. Outre ces apports de bleu, on peint des contrastes forts très directs, grâce à des impacts de blanc pur et à de petits traits noirs.*

8. *Dans l'étape précédente, on a établi la couleur du fond des parements. Sur ces fondus blanchâtres et verdâtres, on applique à nouveau des aplats de couleur, mais cette fois à l'aide de traits beaucoup plus directs. Les tons des fondus précédents leur servent de base. Les traits blancs sont longs et inclinés et les apports de vert sont réalisés en touches directes avec l'extrémité du pastel. Pour rendre le feuillage, Mir a estompé le contour des feuilles. Avec le bout d'un pastel noir, on commence à définir quelques zones, comme les branches, voire le dessin du mur en pierre, à droite de l'arbre.*

Les contrastes et les points de détail doivent être laissés pour la fin, car ce sont eux qui finissent de donner leur forme aux objets du tableau sur des zones préalablement colorées.

9. *Pour achever ce travail laborieux au pastel, on ajoute quelques touches de vert éparses sur la zone des branches. Avec du bleu, on renforce quelques ombres, qui contribuent à ce que la couleur du papier s'intègre à l'ensemble comme une couleur supplémentaire. Dans l'angle inférieur gauche, on travaille l'herbe et les textures avec des apports dispersés qui sont fondus en partie sur les premières applications de couleur. Sur cette base, on trace quelques lignes très directes. On ajoute encore quelques contrastes et quelques impacts de couleur avant de pouvoir considérer notre interprétation de l'œuvre de Joaquim Mir comme terminée.*

SCHÉMA - RÉSUMÉ

Les premiers aplats de couleur sont lumineux et sont fondus sur le fond pour servir de base aux couleurs les plus directes.

Le dessin est réalisé avec une couleur très lumineuse appartenant à la même gamme chromatique que la couleur du papier. De cette façon, la ligne se perdra dans les autres couleurs de la peinture.

On laisse transparaître la couleur bleue du papier à tout moment afin de l'intégrer au chromatisme de l'ensemble.

Les apports de bleu dans les zones d'ombre sont assortis à la couleur du fond.